MAURICE JONCAS
LE PETIT GARÇON QUI CHERCHAIT SON ÂME

Nous remercions le Conseil des Arts du Canada de l'aide accordée à notre programme de publication.

ISBN 2-89396-279-3

Dépôt légal – 1er trimestre 2007
Bibliothèque et Archives nationales du Québec
Bibliothèque nationale du Canada

Illustration de la couverture : Aquarelle de Claude Côté, L'Anse-au-Griffon, Gaspé
Galerie Claude Côté (c_cote@globetrotter.net)
Maquette de la couverture : Marc Veillet, Gaspé

Imprimé au Canada

990 Picard, Ville de Brossard, Québec, Canada J4W 1S5
Téléphone/Télécopieur: (450) 466-9737
humanitas@cyberglobe.net

Maurice Joncas

Le petit garçon qui cherchait son âme

ROMAN-FABLE

HUMANITAS

Liminaire

La vie, l'amour, la mort... Voilà ce qui fait l'étoffe d'un roman. C'est ce que j'ai retenu, entre autres choses, de l'enseignement de Maurice Joncas lors de mon passage à l'école polyvalente C. E. Pouliot de Gaspé à la fin des années 1970. J'ai appris au contact de cet éducateur à apprécier la littérature et à en percer quelques secrets. Et depuis, cette connaissance de la beauté de l'écriture m'accompagne quotidiennement.

La vie, l'amour, la mort... Le roman de Maurice Joncas que vous avez entre les mains et que vous aurez, j'en suis sûr, le plaisir de lire est une célébration de la vie et de l'amour. À travers la figure de Jérôme, le petit garçon qui cherche son âme, ce sont nos quêtes de sens, nos questionnements sur le sens de la vie qui sont mis en écriture par Maurice Joncas. Ce sont nos propres conceptions de l'amour, de la fraternité, de la solidarité construisant des ponts au-delà des différences qui sont confrontées par ce roman tout simple et authentique.

La vie et l'amour ici célébrés sont mouvement, dynamisme, quête de la vérité sur soi et sur les autres. C'est dans ce mouvement de quête qui ne peut se faire seul qu'entrent Élaine, Nicolas, Tomasz et les autres afin de retrouver, tout comme Jérôme, ce qui les anime, ce qui fait d'eux des vivants, en somme ce que les Anciens nommaient l'âme, le principe de vie.

Maurice Joncas livre à ses lecteurs un récit de la quête, un récit de vie d'où pourtant la mort n'est pas absente. Elle y est présente par l'entremise des illusions brisées, de renoncements exigés, de constats d'échecs de projets de vie qui semblaient pourtant réussis. Mais loin de l'emporter, ces «morts» quotidiennes sont des instances de remise en question et de redéfinition des personnages selon ce qui, en bout de ligne, est le plus important: l'amour.

La vie, l'amour, la mort... C'est ce qui fait l'étoffe d'un roman. Puisse cette lecture vous permettre de méditer sur ce qui donne du goût (et du sens !) à la vie...

Guy Jobin, Ph.D.
Professeur adjoint de théologie morale et d'éthique
Rédacteur francophone de la revue *STUDIES* in Religion /Sciences religieuses
Faculté de théologie et de sciences religieuses
Université Laval
Québec, 6 octobre 2006.

À Annie Lévesque
et Pierre Montgrain
pour la vie et la musique.

- Remerciements -

Écrire un roman constitue toujours une aventure passionnante. Mais cette passion de l'écriture a aussi ses exigences. Heureusement, tout au long de ce parcours de créativité, on rencontre des personnes compétentes qui, d'emblée, acceptent de nous venir en aide.

Leur collaboration fidèle m'a été bien utile dans l'élaboration de ce projet d'écriture. Grâce à eux, j'ai pu le mener à bon terme.

À toutes ces personnes dévouées, je veux exprimer ma profonde reconnaissance.

• Madeleine Veillet, pour l'inspiration, ses compétences psychologiques et sa délicatesse.

• Claude Côté, pour notre vieille amitié et sa collaboration artistique pour l'aquarelle illustrant la couverture.

• Marc Veillet, qui, depuis de nombreuses années, accepte de réviser mes manuscrits et dont les remarques sont si judicieuses.

• Monsieur Constantin Stoiciu, des éditions Humanitas de Montréal, pour sa cordialité proverbiale et son amitié.

• Ginette Girard, pour sa complicité littéraire coutumière et Gervais Pomerleau, pour son travail d'infographiste. Votre amitié m'est bien précieuse.

Maurice Joncas,
Anse-aux-Cousins,
Gaspésie.
Aux portes de l'automne 2006

«Quand je n'étais qu'une masse informe,
tes yeux me voyaient, et sur ton livre
étaient tous inscrits les jours qui étaient
fixés, avant qu'aucun d'eux n'existe.»

Extrait – Psaume 139

Note de l'auteur

C'était en 1977... La veille de Noël...

Je me souviens, parce qu'elle fut bien particulière cette nuit magique. Une famille, un arbre, des emballages multicolores... Une fête inoubliable, comme tous les Noëls... De la lumière, de la féerie et la paix de la nuit... Une fête qui impressionne, qui allège du fardeau de la logique quotidienne, du poids de nos certitudes... En somme, une fête qui réinstalle la poésie, celle qui brille constamment dans l'univers enchanté de tous les enfants que nous sommes... ou que nous avons été, quelque part en nous, un jour...

Je me souviens... Cette nuit-là, Madeleine, une petite fille de sept ans m'a offert un magnifique cadeau: une petite boîte noire qui avait déjà contenu une montre-bracelet, mais remplie de son imaginaire d'enfant. Aujourd'hui, après tant d'années en allées dans ma mémoire, elle est encore là, devant moi, la petite boîte noire. Le temps s'y cache encore. Elle renferme toujours le temps, en données de vie qui demeurent ouvertes, pour y laisser entrer la lumière. Madeleine a grandi. Elle est devenue une grande personne maintenant. Mais la petite boîte noire, elle, garde encore tout son mystère.

Comme ils étaient beaux, les minuscules romans de la petite boîte noire! Des petits romans qui s'émerveillaient, qui étaient tristes ou qui voulaient rêver... Des petits romans qui respiraient la poésie d'une petite fille de sept ans...

Le clown qui ne savait pas quoi faire de ses mains – Le petit garçon malcommode et l'igloo – L'enfant et l'arbre de Noël – La petite fille et la paire de pantoufles – Le cerf-volant – Le nuage et le soleil – Le lion mangeur de tout – Le gros et le petit éléphant – La grand-mère qui se berce – Le petit garçon désobéissant et le panier de bonbons – Le fer à repasser et la petite fille – Le traîneau – Le petit chat malcommode – Le pain – Un garçon qui est fâché – La plante – Les poissons.

Dix-sept petits romans... Dix-sept clins d'œil d'âme, une nuit de Noël, figés entre la réalité et le rêve. Des petits romans, avec un espace de vie plié en quatre, pour mieux me plaire encore.

Les années ont passé depuis ce Noël magique... Mais les petits romans me parlent encore... Maintenant, mon tour est venu de laisser mon imaginaire «respirer» l'être humain, dans tout ce qu'il possède de plus exaltant: sa liberté et sa part de rêve...

En ce sens, Le petit garçon qui cherchait son âme entre dans la même catégorie que les petits romans de ma nuit de Noël 1977.

Il n'y a que le temps qui a fui... Rien n'a changé... Les enfants rêvent encore... Et ce sont de grandes personnes sérieuses qui écrivent les histoires...

Merci, Madeleine, pour tant d'enchantement et de souvenir!

Maurice Joncas,
Anse-aux-Cousins,
Gaspésie - 2006

Première partie

Le solstice se terminait à peine à Notre-Dame de la Rive, une petite agglomération de bord de fleuve bordée de jolis cottages de vacances, surtout fréquentée par des gens d'affaires de la métropole.

Tout était prometteur en cette fin de matinée de juin. Le fleuve Saint-Laurent se colorait d'un bleu dense, presque translucide. L'eau reflétait goulûment la lumière et le ciel était balayé par quelques nuages récalcitrants.

Chargés à bloc, les cargos se suivaient, en empruntant la même voie dans le chenal. Ils sillonnaient la mer inlassablement. Alors, la vague se fendait en eux dans leur sillage. Puis, en ondulant, sa trace s'effacait, éphémère comme la vie, comme passe le vent et l'oubli des êtres et des choses.

*

La demeure d'été d'Élaine Ramsey et de Nicolas Racine portait fièrement le nom exotique de "El Casa Del Mare", en souvenir d'un voyage d'amoureux en Amérique du Sud. La proximité du fleuve et la chaleur proverbiale des riverains de Notre-Dame de la Rive en avaient fait un havre de paix par excellence, où ils pouvaient venir «décompresser» du monde des affaires, qui les accaparait de plus en plus.

Élégamment construite de larges lambris de cèdre, ses larges fenêtres s'ouvraient sur le fleuve. Encadrée de longilignes résineux entremêlés de bouleaux blancs, elle s'enorgueillissait presque d'occuper un endroit aussi privilégié. En ces chaudes journées de juin, où la mer se mariait aisément avec le ciel, de larges plates-bandes de fleurs, éclatantes dans leurs couleurs neuves, bordaient l'allée de pierres menant au quai d'accès au fleuve.

"El Casa Del Mare" constituait donc un endroit plein de charme et de mystère. Ses occupants en avaient conçu les plans à leur image, en ayant conscience qu'elle devait, en somme, posséder une âme distincte, qui la rendrait attirante comme un havre de paix. À coup sûr, ils avaient misé juste. Leur cottage estival respirait leur jeunesse et la paix qu'ils recherchaient. Rempli de parfums et de souvenirs déjà, son accueil aux quatre saisons devenait de plus en plus nécessaire dans leur vie commune, avant que le gouffre des affaires finisse par happer leur jeunesse et leurs rêves...

*

Nicolas Racine portait son histoire avec prestance. Ses reflets possédaient une clarté presque limpide. Jusqu'à présent, peu d'ombres avaient entravé sa route. Sa vie se déroulait d'une manière originale et passablement séduisante. D'une certaine manière, comme bien d'autres, il souhaitait par-dessus tout que ses chances de bonheur puissent continuer à en garnir la destinée.

Au début de la trentaine, toujours semblable à lui, sans jamais rester tout à fait le même, Nicolas Racine fonçait tête baissée dans sa vie bourdonnante. Il était conscient que les pages tournaient déjà très rapidement et que ses lignes tracées étaient remplies d'une intense lumière. Avec une naïveté presque déconcertante, il pensait qu'il lui suffisait simplement de croire en la vie pour que la réussite et l'amour prennent la route du même rendez-vous.

De grande taille, élégamment élancé, sa démarche assurée laissait deviner l'ampleur de ses rêves. C'était un homme racé, dont le regard plongeait dans celui de ses interlocuteurs, avec une acuité qui ne laissait aucun doute sur le sérieux de ses intentions. D'épais sourcils foncés lui donnaient encore plus d'ampleur, surtout quand son sourire éclatant se laissait voir sans retenue.

Jovial, tout en observant quand même une certaine limite, il lui arrivait quelquefois de se laisser aller à des pointes d'humour qui ravissaient ses amis.

Il avait complété brillamment ses études d'ingénieur en informatique. Tout naturellement, ses choix de carrière l'avaient amené à s'engager résolument dans l'important virage technologique qui risquait fort de révolutionner le tournant du siècle. De plus, sa formation parallèle en relations industrielles constituait pour lui un atout supplémentaire pour entrer par la grande porte dans ce monde nouveau et passablement attirant.

La première fois qu'il avait rencontré le président directeur général de la firme pan-canadienne Mirage Technology Inc., immédiatement il avait compris que son avenir dans ce monde emballant et prometteur de l'informatique appliquée aux affaires était tout tracé d'avance.

—Vous comprenez, monsieur Racine, que ce sont des jeunes gens dynamiques et volontaires comme vous que notre compagnie recherche. Si vous le voulez, avec vos compétences, je puis vous assurer que vous allez pouvoir gravir très rapidement les échelons de notre organisation. L'informatique, vous vous en doutez bien, c'est le monde de demain. Les satellites de communication, la recherche spatiale, la téléphonie cellulaire, enfin, tout ce qui s'y rattache revêt une importance capitale, à l'heure où la mondialisation des marchés commence à faire des avancées spectaculaires.

Ces propos de Peter Powell avaient eu l'heur de lui plaire et de confirmer ses attentes d'ingénieur. L'homme d'affaires avait eu drôlement raison de lui faire confiance. Trois ans seulement après son entrée au sein de la compagnie, Nicolas Racine fut invité à occuper le siège de directeur-général des marchés nationaux, sous la juridiction immédiate du grand patron de cette audacieuse firme.

—Votre nouvelle charge vous amènera à vous déplacer d'un océan à l'autre. À titre d'adjoint, vous serez appelé à rencontrer le personnel qui œuvre dans nos magasins et nos vastes entrepôts. Êtes-vous prêt à assumer ces nouvelles responsabilités, même si elles devront obligatoirement perturber votre vie familiale?

—Oh, vous savez, ma conjointe œuvre aussi de façon passablement accrue en affaires. Elle travaille dans le domaine des assurances et occupe le poste de cadre supérieur pour une importante firme de courtiers internationaux. À ce titre, elle est appelée à voyager souvent à l'étranger. Ainsi, à ce niveau, nos espérances de carrière se rejoignent. Nous avons donc conclu certains pactes et compromis pour ne pas que notre vie conjugale en souffre trop. Ne vous inquiétez pas, monsieur Powell, c'est une affaire réglée. C'est avec une bien grande fierté que j'accepte ces nouvelles fonctions au sein de votre compagnie.

*

Curieusement, la destinée épouse parfois de curieuses incongruités, qui, en quelque sorte, favorisent des rencontres fortuites. C'est au cours d'une pause, entre deux cours d'économique, que Nicolas Racine avait croisé le regard pâle d'Élaine Ramsey. Et pour cause. Elle attendait son tour à la file devant une machine distributrice de jus de fruits. Récalcitrant, l'appareil avait engouffré la poignée de monnaie que le jeune homme y avait introduite. Il eut alors l'idée de bousculer un peu la machine. Son pied droit semblait d'accord. Au moment où il s'apprêtait à passer de la pensée à l'acte, il entendit derrière lui une voix douce, teintée d'une pointe d'ironie:

—Tut, tut, tut, tut...

Intrigué, un peu mal à l'aise, il se retourna. Élaine Ramsey se tenait derrière lui, tout sourire dehors, en lui tendant une poignée de monnaie. En souriant à son tour, presque gêné que son geste d'impatience ait été décelé si facilement, il prit les pièces qu'elle lui tendait dans sa main fine. Les cheveux relevés en chignon, elle était vêtue sans prétentions. Mais, d'un rapide coup d'œil, il avait eu le temps d'admirer l'animation charmante que son visage dégageait, avec ses yeux bleu-vert.

—Merci, se contenta-t-il de lui dire. Et excusez-moi pour ce moment d'impatience. Je suis pressé. J'ai deux cours d'économique.

—Ne vous en faites pas, dit-elle en riant. Je vous taquine. Ça n'a pas d'importance.

On eût dit que la machine avait compris ce message de condescendance. Un bruit métallique se fit entendre. D'un seul coup, elle régurgita la bouteille de jus d'orange commandée, ainsi que les pièces de monnaie données en surplus.

—Et dire que je termine mes études en électronique informatique. À vrai dire, il faudrait que je revoie mes priorités, dit-il à son interlocutrice, en lui rendant ses pièces. Merci de m'avoir dépanné si vite. Regardez, la file d'attente s'allonge.

Pour toute réponse, Élaine Ramsey lui adressa un sourire, qui laissa découvrir encore plus l'éclat de ses yeux pâles. Il lui sembla rapidement entrevoir l'air sérieux et enfantin à la fois que son regard reflétait.

Nicolas Racine n'en revenait pas de cette rencontre inopinée dans des circonstances aussi banales. En son for intérieur, il demeurait convaincu que le hasard nous joue souvent des tours et que son influence sur notre vie n'est pas toujours aussi fortuite que l'on pense.

Au moment où il vit Élaine Ramsey se pointer dans sa direction, après avoir obtenu son breuvage, il comprit que le moment était venu de faire plus ample connaissance.

«Tant pis, se dit-il, j'arriverai en retard au cours. Après tout, il n'y a pas le feu. Il y a des jours où l'essentiel prend toute la place. Vas-y, Nicolas. Le moment est propice aux rencontres, ce me semble.»

Avec détermination, il s'avança d'un pas ferme, presque sûr de lui.

—Merci encore de votre geste. Et j'ai appris ma leçon. Il ne faut jamais brusquer les machines. C'est une gentille dame qui m'a fait remarquer cela tout à l'heure, lui dit-il, en lui tendant la main. Mon nom est Nicolas Racine. Et je termine bientôt mes études d'ingénieur. Enfin!

—Élaine Ramsey, enchaîna-t-elle, tout en observant la finesse mêlée de force qui se dégageait de la main qu'elle venait de serrer. Je complète mes études de maîtrise en administration des affaires

—Si on prenait le loisir de nous asseoir un moment? Après tout, mon cours d'économique peut bien se passer de moi pendant quelque temps.

—Je dispose d'une petite demi-heure. C'est bien peu, car je dois rencontrer mon directeur de maîtrise, en fin d'après-midi. Et j'ai besoin de me préparer. Mais, j'accepte votre invitation avec plaisir.

Ce disant, elle déposa le contenant sur la petite table, tout en ajoutant:

—Cependant, vous allez devoir m'excuser un moment. Il faut que j'aille rencontrer un confrère.

Elle se dirigea vers un groupe d'étudiants attablés près de la cantine. Nicolas Racine eût alors le loisir d'admirer la grâce féminine que cette femme dégageait. Comme si un écran virtuel, en temps réel, lui révélait une image fort éloquente, sous des dehors assurés, cachés par sa fragile apparence, il lui sembla deviner une femme au caractère déterminé.

«Quelle décision et gravité surprenantes dans sa démarche, se dit-il, lorsqu'elle s'avança de nouveau vers lui. Décidément, il n'est jamais bon d'aller trop vite en affaires. Prendre le temps. Voilà une stratégie sûre.»

Avant de s'asseoir, d'un élégant geste de la main, Élaine Ramsey releva une mèche blonde rebelle et le gratifia d'un lumineux sourire.

*

Le soleil descendait lentement sur la haute ville de Québec. Dans les couleurs naissantes du crépuscule, le château Frontenac brillait de tous ses feux, en s'illuminant de teintes dorées. Quelques nuages s'empêtraient encore dans les dernières lueurs du jour.

De la fenêtre du restaurant où ils avaient pris place, Élaine et Nicolas pouvaient à loisir observer le va-et-vient des badauds déambulant sur la terrasse Dufferin. En cette humide soirée de juin 1995, le fleuve Saint-Laurent étalait sa splendeur devant leurs regards.

Terminées les études universitaires, les longues soirées penchés sur les livres, les rencontres, les discussions, les forums, etc. Désormais, l'avenir leur ouvrait ses portes. Sans dire un mot, son regard parlant pour lui, Nicolas regardait

Élaine à la dérobée, occupée à observer le manège des paquebots en partance ou en arrivée. Ses cheveux brillaient comme les blés mûrs de la lumière qui rayonnait par la fenêtre.

«Quel merveilleux moment, songeait-il, tout en l'observant avec un regard admiratif rempli se tendresse.»

—Élaine, j'ai l'impression que nous nous connaissons depuis fort longtemps. Et pourtant, notre relation est encore très récente.

—En effet. Nos études viennent à peine de se terminer. Tout s'est passé si vite! Tu as raison.

D'un geste discret de la main, il fit venir le garçon de table.

—S'il vous plaît, apportez-nous une bouteille de champagne. Un Dom Pérignon fera notre bonheur.

Étonnée et ravie tout à la fois, Élaine le regarda avec un attendrissement accru et lui dit:

—Nicolas, célébrer la fin de nos études au champagne, c'est assez spécial. Et un Dom Pérignon, c'est... un peu cher, ne trouves-tu pas pour deux ex-étudiants comme nous?

Son sourire épousait un petit air narquois, lorsqu'elle déposa son verre.

Dans un geste à la fois révélateur et rempli de douceur, Nicolas emprisonna doucement ses mains. Puis, avec tout l'amour qui débordait de son être, il plongea son regard dans les yeux de sa compagne, en lui confiant:

—Élaine, depuis notre première rencontre, j'ai su tout de suite que mon cœur ne pourrait plus se détacher du tien. Ne me demande surtout pas de te donner quelque explication que ce soit. Je ne sais pourquoi je t'ai aimée de cette façon, tout de suite. Tu sais, souvent, on perd du temps à vouloir expliquer l'essentiel de l'amour, quand il opère son intrusion. L'important, c'est de ne pas perdre la tête. Il est tellement relié en nous de façon intime, qu'il serait bien prétentieux de notre part de vouloir en fixer les frontières ou les balises.

Il avait prononcé ces mots d'un seul coup, comme si, après avoir été longuement mûris, ils laissaient enfin entrevoir toute leur lumière.

—La vie nous appartient maintenant, Élaine. Il est permis de penser que nous sommes à l'aube d'une belle réussite de carrière. Et l'espérance s'y mire. Notre réussite, notre montée en affaires, ce n'est plus qu'une question de mois. Toi, ta carrière est presque jouée dans le domaine des assurances internationales. Quant à moi, c'est le monde de l'informatique de demain.

Il s'arrêta de parler. Le garçon revenait, portant un plateau où trônait un Dom Pérignon et deux flûtes de cristal.

—Voici le Dom Pérignon, monsieur, tel que demandé.
—Très bien, je vous remercie.

Habilement, le serveur enleva la capsule métallique et fit sauter le bouchon. Après le traditionnel "pop", il remplit les deux coupes. Quelques instants après, il revint avec une assiette remplie de cerises à l'eau-de-vie, quelques fraises et des figues au chocolat.

—Dom Pérignon ne peut se passer de ces gâteries, ajouta-t-il, avec un sourire complice à l'endroit des deux convives.

Le moment était magique et l'heure exquise. Les yeux dans les yeux, comme si un aimant invisible liait désormais leurs deux âmes, ils choquèrent leurs verres.

—Élaine, ce soir, mon désir le plus profond, c'est que nos deux cœurs vibrent aux mêmes sentiments. Même si je peux te sembler un peu pressé, je crois que le moment est bien choisi de t'avouer la grande affection qui me lie à toi. Je veux que tu entres dans ma vie... définitivement... Buvons à notre avenir, si tu le veux bien. C'est une façon élégante d'y entrer.

Il baissa momentanément les yeux. Puis, après une profonde inspiration, il lui confia ces simples mots, avec tout l'amour dont il était capable:

—Élaine, je t'aime... Devant la machine distributrice à l'université, tu es entrée dans ma vie pour ne plus en ressortir. On ne peut oublier l'hypnotisme que ton regard diffuse.

Souriante, mais songeuse tout de même, en ce moment presque solennel, tout doucement, elle reprit à son tour:

—Depuis le début de notre rencontre, tu as sans doute remarqué que je ne suis pas le genre de fille qui se laisse aller à de grandes déclarations amoureuses. Ce que tu viens de me déclarer, ça fait longtemps que je l'attends. Je pourrais facilement te renvoyer l'ascenseur. Les mêmes sentiments s'agitent en mon cœur et ma tendresse. Tout ce que j'attendais, c'est que tu me dises enfin: je t'aime. À mon tour, maintenant. Moi aussi, je t'aime profondément Nicolas et je veux lier ma destinée à la tienne.

Heureux, presque étonné d'une répartie aussi directe de sa part, Nicolas se sentit rougir, comme si un courant électrique parcourait son corps et l'envahissait d'une chaleur bienfaisante. Il ne savait que dire, maintenant que cette soudaine certitude s'éclairait d'une façon aussi limpide. Il saisit alors la bouteille de champagne pour en remplir à nouveau les coupes. Un silence complice habitait leurs âmes. Nicolas en était bien conscient et hésitait presque à le rompre, tant le moment était intimement magique.

—Merci, Élaine... Dire je t'aime peut paraître aisé et facile. Mais, parfois, pour pouvoir l'exprimer, nous nous croyons obligés de prendre de grandes précautions et de longs détours. Nous nous aimons, n'est-ce pas un sentiment extraordinaire!

Son sourire venait de revêtir le visage de la fébrilité. Il déposa son verre. En tenant tendrement la main droite d'Élaine, il la regarda intensément. Il voulait fixer à tout jamais dans son esprit l'image de la compagne de vie qui, désormais, marcherait à ses côtés.

Elle demeurait encore silencieuse. Mais son sourire en disait long sur son état d'esprit. Très réceptive à ses confidences, la lueur qui brillait dans son regard la rendait encore plus attirante.

—Élaine, il me vient une idée merveilleuse pour sceller ce moment tant attendu. Que dirais-tu si nous allions nous éclater en Amérique du Sud? À Rio, par exemple, pour célébrer notre amour, avant de nous engouffrer pour de bon dans la jungle des affaires? Il paraît qu'au moins une fois dans sa vie, il faut aller fouler le sable blanc de la plage de Copacabana. Est-ce que cette idée te plairait?

—Oui, bien sûr Nicolas que cette idée me plaît. Mais soyons réalistes. Nous venons à peine de terminer nos études... En ce qui me concerne, à l'heure actuelle, je n'ai passé que quelques entrevues d'affaires, en vue d'obtenir un poste à mon goût. Alors, tu comprends que mes finances sont au régime sec en ce moment. Voilà pourquoi je t'ai fait gentiment remarquer le prix élevé de ce Dom Pérignon, tout à l'heure.

Elle s'arrêta de parler, prit son verre et en avala élégamment une bonne lampée. Le blond liquide humidifiait ses lèvres roses avec un tantinet d'indécence. Elle reprit:

—Mais, c'est tellement racé du champagne de ce prix! Comme certains hommes que je connais et qui n'en ont pas conscience... Elle accompagna cette assertion d'un petit clin d'œil coquin, tout en observant la réaction de Nicolas.

—Ouais! Là, je vais rougir pour de bon! Mais une telle affirmation venant de toi me va droit au cœur. Ce voyage que je te propose, c'est un lointain rendez-vous qui s'est fait attendre. Mais, il est devenu possible maintenant, comme une escapade intime au soleil, à la mer, à la nature entière. Ne t'en fais pas pour les finances. Tout est arrangé. Mon père s'est fait notre complice.

Il observa une pause, porta son verre à ses lèvres, puis poursuivit:

—La semaine dernière, je suis passé rendre visite à ma famille. Mon père vient de prendre sa retraite du monde de la médecine. Au moment où tu l'as rencontré pour la première fois, il n'avait pas encore pris sa décision. Maintenant, c'est chose faite. Mais ce qui est certain, tu as laissé chez lui une impression flatteuse et dense. Lorsque nous avons quitté la demeure familiale de Trois-Rivières, en catimini, il a glissé un chèque dans ma poche de veston. En soi, son geste m'a paru normal. Car il l'avait répété tant de fois que je n'y ai guère porté d'attention. Puis, comme tu avais déjà pris place dans la voiture, il avait profité de notre au revoir coutumier pour me glisser cette dernière confidence:

—Ça, m'a-t-il dit, c'est pour le beau cadeau que tu nous as offert en entrant si brillamment dans le monde de l'ingénierie. Il m'a alors regardé d'une façon tellement intense, que je pense ne jamais pouvoir oublier ce moment unique. Puis, il m'a confié:

—Mais, Nicolas, le plus beau présent que tu nous as offert, c'est l'arrivée dans ta vie de la jeune fille qui t'accompagne aujourd'hui. Tu sais, mon fils, elles existent ces rencontres de vie qui ne révèlent leur mystère qu'à travers leurs regards. Élaine doit posséder une bien belle âme pour ainsi y emprisonner autant de douceur, de fermeté et de profondeur. Ne la laisse pas s'échapper de tes bras, Nicolas. Spontanément, nous l'avons aimée. Toi, si tu l'aimes autant que tes gestes le laissent supposer, alors, ne tarde pas. Fonce et avoue-lui que tu l'aimes. Ensuite, avec le chèque que j'ai glissé dans ta poche, laissez éclater votre jeunesse, avant que le sérieux des affaires ne vous envahisse.

Après m'avoir confié cela, il m'a tourné subitement le dos et il s'est dirigé vers la maison. Puis, en m'envoyant un signe d'une main, je crois que de l'autre, il a essuyé une larme...

—Je me souviens de votre manège. Nous avons passé un long moment sans parler par la suite, au cours de notre trajet vers Québec. Ton père est un homme admirable, amoureux encore, mais un peu trop flatteur. Je l'aime comme mon père. Tu es bien chanceux qu'il fasse encore partie de ta vie. Moi, le mien est disparu trop vite et trop jeune. C'est un chic type que ce Jean-Pierre, Nicolas. En aucun temps, je n'aurais hésité à lui demander conseil. De toute façon, j'aurai probablement l'occasion de le faire, surtout au moment où tant d'événements risquent de venir perturber nos vies.

—Alors, qu'en dis-tu? Nous n'avons pas le choix, madame. C'est Jean-Pierre qui le veut. Et je crois que je ne suis plus le seul à constater qu'il nous aime et désire que nous soyons heureux.

—De toute façon, je trouverai bien le moyen et le temps de lui rendre la pareille. Rio, Copacabana, oui, se répéta-t-elle, comme si elle se parlait, c'est une bonne destination pour asseoir deux vies. Beaucoup de lumière en tout cas...

Ce disant, en mesurant bien son effet, elle porta une moitié de fraise à ses lèvres...

La nuit commençait à déployer ses ombres, témoin silencieux de ce pouvoir mystérieux de l'amour qui s'enracinait profondément dans ces deux êtres, plein de son mystère, comme une aube naissante en cette fin de jour.

*

Trois ans. Trois années de vie trépidante. Le temps avait passé bien vite depuis que leur vie commune avait pris une tournure accélérée. Les jours et les mois s'étaient succédés à un rythme presque effarant. Installés à demeure dans l'un des beaux quartiers d'Outremont depuis le début de leur union, leur vie professionnelle avait pris le dessus sur leurs préoccupations quotidiennes. À leur retour de l'escapade de Copacabana, en 1996 tout s'était déroulé très rapidement: prise en charge de leurs professions respectives, voyages d'affaires, rencontres administratives, longues réunions, enfin tous les ingrédients d'une vie active et démesurée. Jusqu'à présent, les moments intimes s'étaient avérés plutôt rares. Heureusement qu'il y avait l'oasis de paix de Notre-Dame de la Rive pour leur permettre de se retrouver de temps à autre.

La journée de travail d'Élaine s'était avérée passablement harassante. Elle avait dû préparer un contrat d'assurances international d'une grande importance, en plus d'assister à une rencontre administrative assez chargée. Depuis deux jours, à la demande expresse de son patron, Nicolas avait dû effectuer un voyage imprévu à Toronto. Elle était rentrée tard à la maison. Après un léger repas, elle avait classé quelques affaires et remis le tout dans son attaché-case. Puis, fatiguée, elle s'était mise au lit. Mais le sommeil tardait à venir.

Allongée confortablement, elle se demandait bien pourquoi elle ressentait cette espèce d'anxiété soudaine qui l'empêchait de dormir. Pourtant, tout allait bien et elle n'était pas de nature à s'abandonner dans des détours d'imagination échevelés. Le destin ne la portait pas à la rêverie, loin de là. Peut-être était-ce un peu de surmenage qui lui causait tout cela?

«Il faudra que j'apprenne à mieux gérer mon temps, mon espace et mon stress des affaires. La concurrence est bien forte, il est vrai. Au retour de mon cher Nicolas, j'en suis persuadée, tout rentrera dans l'ordre, se dit-elle.»

Par contre, tout au long de la journée, sa dernière et très sérieuse discussion, avec Nicolas, quelques jours avant son départ pour Toronto, lui était constamment revenue en mémoire. Elle se remémorait chaque mot. La discussion s'était amorcée lors du retour à la maison et elle s'était continuée durant le souper.

À cet instant précis, ils roulaient sur une rue qui longeait la cour avant d'une école élémentaire. À l'arrêt du feu rouge, un brigadier scolaire brandissait sa pancarte: STOP. À la file, de jeunes enfants traversaient la rue pour rejoindre l'école.

—Dire qu'on est passés par là nous aussi, avait-elle dit, en réfléchissant tout haut. Mais, c'est quand même agréable de les regarder, si pleins de vie, ne trouves-tu pas, Nicolas?

Cette soudaine intervention avait provoqué chez lui un questionnement étrange.

—Que veut-tu dire par là?

—Oh, simplement que si on sait la regarder honnêtement, la vie se laisse caresser, en fusant de partout. Et son mystère se révèle parfois bien limpide, à qui veut le constater.

—Oui, tu as raison. La vie, le travail, le bonheur, tout cela constitue un bien bel idéal à atteindre, à condition que tout tourne rondement. Actuellement, je crois bien que c'est notre cas, si j'en juge par la vitesse avec laquelle nous évoluons, toi et moi. Tiens, par exemple, je dois partir pour Toronto demain. Une visite rapide. Deux jours dans le smog de la ville reine. Ce n'est pas ce qu'on peut appeler un voyage d'agrément.

Songeuse depuis qu'elle avait aperçu les enfants traverser la rue, Élaine n'avait guère prêté attention aux derniers propos de Nicolas. À brûle-pourpoint, elle lui avait lancé, avec l'assurance d'unc gymnaste travaillant sans filet:

—Nicolas, aimerais-tu que l'on fasse un enfant? Après tout, nos carrières respectives sont bien assises à présent... Au moins, nous pouvons peut-être y songer...

Un long silence avait suivi sa question. Nicolas venait de s'engager sur l'autoroute métropolitaine. Surpris par cette réflexion, il se tourna lentement vers sa compagne, en lui souriant gentiment.

—Es-tu sérieuse, Élaine? Ou bien est-ce la vue de ces enfants à l'école qui a remué à ce point la fibre maternelle en toi?

Élaine l'avait fixé à son tour, un peu gênée par l'ironie de sa réponse. Elle se rendait bien compte que sa réflexion avait tombé à point.

—Nicolas, c'est une simple question que je t'ai posée. Tu n'es pas obligé de répondre.

Ce disant, elle avait replacé machinalement une mèche de cheveux. Puis, en effleurant sa main, elle avait ajouté:

—Ne t'en fais donc pas! Oublie ce que je t'ai dit. Regarde! Nous arrivons à la maison.

*

Nicolas adorait les fraises à la crème depuis qu'il était tout petit. Au moment du dessert, il lui avait demandé:

—Qu'est-ce qu'il y a comme gâterie, ce soir?
—Ferme les yeux.

Après avoir déposé devant lui un bol rempli de fraises et un pot de crème fraîche, elle lui avait dit:

—Maintenant, tu peux les ouvrir!

Elle savait fort pertinemment que sa réaction ne se ferait pas attendre.

—Élaine, tu es un ange. Merci de cette délicate attention.
—J'ai pensé que ce dessert te ferait plaisir.! On dit que dans chaque tête d'homme, il y a toujours un enfant qui sommeille, lui avait-elle dit, en passant ses bras autour de son cou.

Nicolas s'était accoudé sur le rebord de la table. En joignant les mains, il avait repris, avec un air songeur:

—En revenant à la maison, tu m'as posé une question. Si tu le permets, comme elle mérite une réponse sensée et sérieuse, j'aimerais y répondre. Donner la vie à un enfant, il n'y a rien de plus beau et légitime, cela va de soi. Mais as-tu pensé aux conséquences que cela occasionnerait pour l'essor que nous voulons donner à nos professions respectives? Nous avons placé la barre bien haute, toi et moi. Nos espérances de vie et de carrière dépassent déjà nos prédictions. En trois ans, nous avons franchi des pas de géant dans la montée des affaires des deux compagnies qui nous font confiance. Toi, tu es maintenant sollicitée de part et d'autre pour des consultations internationales en assurance. De mon côté, je n'ai plus le choix. Bientôt, Mirage Technology commencera à opérer son virage asiatique. Je devrai voyager de plus en plus. Alors, tu comprends. La venue d'un enfant viendrait drôlement bousculer les données établies. C'est même impensable d'y songer.

Il avait observé une pause. Puis, en la regardant intensément, il avait poursuivi sur sa lancée. Elle l'avait écouté attentivement. Mais il s'était aisément rendu compte qu'elle épluchait attentivement chaque détail de ses propos.

—Il y a trois ans, trois merveilleuses années déjà, nous avons amorcé officiellement notre vie commune au cours de notre voyage à Rio de Janeiro. Durant cette semaine de rêve, nous nous sommes aimés profondément. Nous avons partagé les mêmes idéaux, les mêmes aspirations. Puis, d'un commun accord, nous avons conclu un pacte tacite: ne pas avoir d'enfant, le temps d'asseoir solidement nos professions. Combien de temps? Nous ne l'avions pas spécifié. Nous sommes encore si jeunes, Élaine! Nos rêves se mesurent à l'envergure de nos ailes. Allons-nous nous arrêter de voler alors que la vie nous appelle à le faire?

—C'est vrai que notre vol est vertigineux. En effet, notre façon de vivre ne nous permet pas encore ce genre d'exercice, lui avait-elle dit avec franchise. À bien y penser, je crois que tu as raison. Un enfant, ça dérange, ça contrecarre, ça exige beaucoup. Mais... ça aime tellement aussi! Il ne faudrait pas qu'on oublie ce précepte, tu sais.

—Oui, *"ça aime tellement"*, comme tu l'affirmes. Pourrions-nous aimer un enfant comme il convient, si le destin nous en chargeait? Avec nos vies occupées à 150%, je ne saurais rien garantir à ce sujet. Alors, tu comprends que... enfin... C'est l'évidence même. Tout bouleverser de nouveau et changer notre rêve de vie ou, encore, garder le «statu quo» et laisser la vie suivre son cours? Je ne sais plus.

En disant cela, Nicolas avait levé les yeux vers elle. À cet instant précis, Élaine avait pu y déceler l'étendue de sa tendresse, lorsqu'il lui avait déclaré:

—Élaine, je t'aime tant, tu sais!

Pour toute réponse, elle s'était levée. Avec son désarmant sourire, elle avait enchaîné, sur un tout autre ton:

—Alors, ces fraises à la crème, on les mange, enfin?

*

Le regard dans le vague, lasse de fatigue, Élaine n'avait plus la force de discerner si c'était le stress de son travail ou l'absence de son cher Nicolas qui empêchait le sommeil d'être au rendez-vous. Le rappel de cet épisode l'avait laissée songeuse. En repliant la couverture, elle ajusta ses oreillers, tout en pensant:

—À la lumière du jour, cela me paraîtra bien enfantin et tout rentrera dans l'ordre.

Tout de même, elle sentait qu'un étrange pressentiment s'insinuait lentement dans son esprit. Et cette force indéfinissable, incompréhensible, voulait à tout prix la prévenir qu'un événement important allait survenir dans sa vie. En fermant la veilleuse, elle s'entendit réfléchir tout haut:

—Bof, les vacances d'été sont imminentes. Laissons le temps agir. Le moment venu, dans la tranquillité de notre maison au bord du fleuve, il saura bien me dicter les réponses adéquates.

*

—Élaine, regarde! Le temps s'annonce beau. Le ciel est rouge. Quand le soleil s'habille de couleurs aussi spectaculaires avant de dormir, c'est un signe assuré qu'il tiendra ses promesses le lendemain et que la température sera splendide.

—Pour un homme de science comme toi, c'est un peu étonnant d'entendre de telles prédictions... Je croyais plutôt que tu faisais confiance aux prévisions météorologiques télévisées. Mais j'avoue que je ne déteste pas ce petit côté écolo chez toi. C'est vrai que c'est spectaculaire.

Elle était assise près de lui, au bout du quai flottant de leur demeure estivale. Les larges fenêtres de la maison reflétaient sans vergogne les lueurs crépusculaires du jour mourant. Les mains croisées sur ses genoux repliés, elle avait débité la fin de sa phrase avec une insistance inhabituelle. Nicolas s'en était rendu compte, car son regard était rempli d'un je-ne-sais-quoi de sérieux, tout en nuances.

Leurs vacances estivales venaient à peine de débuter. Les premiers jours de juillet avaient étalé leur lumière dans la chaleur moite de cette première période de canicule. On eût dit que le soleil s'était drapé dans des voiles diaphanes pour la circonstance.

Durant les jours précédents, malgré le temps chaud et humide, il s'était affairé à de menus travaux d'entretien autour de la "Casa del Mare". Cela le changeait de ses voyages incessants, du va-et-vient presque infernal du bureau-chef et des interminables réunions exécutives. Ainsi, réparer un carré de pavé cassé constituait presque pour lui une vacance en soi.

Quant à Élaine, elle avait dû effectuer un voyage à Paris pour une importante histoire de contrat international en assurances. De retour depuis peu, ils s'étaient enfin retrouvés à Notre-Dame de la Rive. En ce coin béni, ils pouvaient prétendre vivre sans contraintes.

Le regard au-delà de l'horizon du fleuve, Élaine savourait particulièrement cet instant magique généré par le soleil couchant.

—Nicolas, chaque fois que l'on se retrouve à Notre-Dame de la Rive, le même phénomène se produit. J'ai la nette impression que nous connaissons un bonheur de vivre qui n'est pas banal, même si notre rythme de vie est passablement accéléré. Tout ce que je souhaite, c'est qu'il dure indéfiniment. Il y a un proverbe qui dit: *«C'est trop beau pour être vrai. Il va sûrement arriver quelque chose.»* Nicolas, dis-moi, serait-ce qu'un bonheur comme celui que nous connaissons, en de pareils moments, ne possède qu'une durée limitée? Se pourrait-il que notre beau rêve va peut-être se terminer bientôt?

—Oh, tu sais, le bonheur, c'est un mot tellement galvaudé de nos jours. Au risque d'utiliser une formule connue, nous en sommes un peu, beaucoup, les responsables. Je crois qu'en naissant, involontairement peut-être, nous en acceptons les données, à notre manière. Et ce pacte de vie que nous signons, il n'en tient qu'à nous d'en devenir les artisans. À condition, naturellement, que l'on veuille qu'il prenne forme et vie. Tu ne trouves pas?

Elle regarda son compagnon. Tout son être respirait une maîtrise presque trop parfaite de ses gestes, de ses actes et de ses pensées. Elle avait gâté plus que de raison cet homme de science qui fonçait si crûment à l'assaut de ses rêves et de ses défis. Soudainement, elle se rapprocha encore plus près de lui. Tout doucement, comme si elle désirait que son geste soit porteur d'un message, avec une infinie tendresse, elle lui caressa lentement le bras, en appuyant sa tête au creux de son épaule.

—Comme je t'aime, Nicolas! Je voudrais que ce moment dure éternellement, murmura-t-elle...

Un parfum subtil qu'il connaissait bien émanait de sa chevelure blonde. Ému, il l'embrassa sur le front. En passant son bras autour de sa taille, il lui rendit la pareille.

—Ah, ma chère petite! Ma tendre amie! Ne doute jamais de moi, je t'en prie! Je t'aime tant moi aussi que, si un tel malheur m'arrivait, je crois que je n'y survivrais pas...

Ils demeurèrent un long moment sans ajouter quoi que ce soit. L'instant de leur bonheur s'avérait si fragile qu'un moindre choc pouvait le rompre. Lentement, leurs âmes communiaient à un même désir, à une même musique... Le jour, lui, mourait, rouge d'envie...

*

Bien appuyé sur ses oreillers, Nicolas, les lunettes sur le bout du nez, s'occupait à lire la biographie de Bill Gates. Il tourna la tête et aperçut Élaine qui s'avançait vers le lit, vêtue d'un magnifique peignoir de soie qu'elle avait ramené de son dernier voyage.

Ravissante et auréolée d'une beauté unique, consciente de ses moyens de séduction, elle entreprit de laisser glisser lentement les pans légers du fameux peignoir. Elle dénoua ses cheveux qui retombèrent sur ses épaules en ondulant. Nicolas observait son manège. Mais, ce qu'il admirait avant tout, c'était la beauté de ce joyau vivant qui lui souriait avec tant d'amour.

Tout doucement, en mesurant la portée de ses gestes, elle se glissa sous la couverture. Nicolas se tourna vers elle. En enlaçant son corps nu dans ses bras, avant de l'embrasser, il avait pris le temps de lui murmurer «je t'aime», comme si son cœur voulait chanter à tout prix la plus belle musique du monde.

Lorsqu'il pénétra en elle, il lui sembla que leurs deux âmes fusionnaient en un seul frisson, celui de vivre à tout prix.

Lovée entre ses bras, Élaine le sentait palpiter en elle. Leurs frémissements se joignaient maintenant en une vague montante de fougue, de passion et de plénitude, qui leur permettait de connaître, une fois de plus, l'ampleur de leur amour et de leur espérance.

*

La matinée avait commencé de splendide façon, ce 12 septembre 1999. Une vague de chaleur persistante démontrait clairement que la saison d'été n'avait rien perdu de son charme. Un nuage d'humidité flottait sur Montréal et voilait les dernières largesses du soleil, avant qu'il ne commence à parer l'automne de ses couleurs étincelantes.

Élaine Ramsey travaillait depuis un bon moment, ayant décidé de se rendre au travail beaucoup plus tôt que d'habitude. Elle désirait ainsi éviter les nombreux bouchons de circulation habituels. En franchissant les portes de l'ascenseur, elle se rendit compte que les bureaux étaient encore déserts. Machinalement, elle regarda sa montre. Elle indiquait 6 h 10.

—Eh bien, c'est vrai qu'il est tôt ma vieille, se dit-elle. Mais c'est ce que tu voulais. Le dossier McGraw ne peut guère attendre. Je n'ai pas le choix. La réunion exécutive doit avoir lieu ce soir.

D'un geste nerveux, elle enleva sa veste et la déposa sur une petite table près de la fenêtre où reposaient quelques dossiers. D'habitude elle prenait le temps de tout ranger dans la petite garde-robe intégrée au mur.

Visiblement, quelque chose la tracassait et ce n'était pas le dossier McGraw pour sûr. Un indéfinissable malaise l'habitait depuis quelque temps. Elle ne parvenait pas à l'identifier. Cela lui apparaissait comme une espèce d'appréhension étrange que son organisme se transformait littéralement.

Mais elle avait beau vouloir se leurrer. Des signes évidents se manifestaient chez elle qui ne mentaient pas: absence de menstruations, fatigues chroniques, nausées inhabituelles. De plus en plus, une certitude absolue s'était installée dans sa tête, depuis qu'elle avait procédé au test préliminaire de grossesse acheté en pharmacie. Une nouvelle vie naissait en elle et elle risquait fort de bousculer étrangement sa vie et celle de Nicolas.

La clarté matinale entrait abondamment dans son bureau. Avant de commencer à fouiller le dossier McGraw, elle ouvrit son ordinateur portatif. Elle se dirigea ensuite vers les deux fenêtres pour en abaisser les toiles, tamisant ainsi cette lumière trop abondante à son goût. Elle n'avait guère dormi et, visiblement, ce manque de sommeil se lisait sur son visage.

D'un geste machinal, elle ouvrit l'épaisse chemise contenant les données de cet important contrat. Puis, la main appuyée sous le menton, sans grand intérêt, elle commença à revoir cette affaire d'assurances internationales. Mais son esprit était ailleurs.

*

Cinq années avaient passé depuis qu'Isabelle Pontois était entrée au service de la compagnie *International Life Insurance Inc.* Grâce à son savoir-faire, elle avait grandement facilité l'intégration d'Élaine dans le monde complexe des assurances, à titre de conseillère. Au moment où le directeur du personnel lui avait suggéré de s'adjoindre une assistante, le nom de madame Pontois était apparu à Élaine comme un choix plausible.

Lorsque celle-ci frappa discrètement à la porte de son bureau, Élaine sursauta légèrement. Il était 8 h 30.

—Mon Dieu, que le temps passe vite! On dirait bien que j'en perds la notion, au rythme où vont les choses, se dit-elle, en l'accueillant. Isabelle Pontois se tenait devant elle, souriante, comme d'habitude.

—Bonjour, madame Ramsey. J'ai cru bon vous apporter un café, avant que nous entamions notre travail... heu... pardon... presque notre enquête, dit-elle, en lui présentant l'une des deux tasses.

—Merci de cette délicate attention, Isabelle. Mais je ne prendrai pas de café ce matin. Depuis 6 h 30, je me penche sur cet épineux dossier. J'ai bien hâte d'en voir la fin. Comment allez-vous, Isabelle?

—-Oh, moi, vous savez, je n'ai pas le temps de m'apitoyer sur mon sort. Dès la sortie du bureau, les enfants et le mari prennent la relève et la roue continue à tourner.

Elle observa un léger arrêt. Une lueur de bonheur éclairait largement son visage. Elle ajouta:

—Heureusement qu'ils sont là. C'est le plus beau cadeau que la vie pouvait me faire. Je me considère comme une épouse comblée et heureuse. Tout ce que je souhaite, c'est que notre bonheur familial puisse continuer ainsi. Mes enfants sont en bonne santé. Tout va bien à l'école et... en amour aussi, ajouta-t-elle, un brin de sourire dans les yeux.

Élaine l'écoutait attentivement, tout en laissant errer son regard dans le vague, comme si son esprit s'envolait ailleurs.

—Je vous considère bien chanceuse, Isabelle, de vivre un pareil bonheur. Et je vous souhaite que cela dure le plus longtemps possible. Vous le méritez bien, allez.

Presque étonnée du ton de cette affirmation, elle regarda avec attention sa supérieure immédiate. Depuis son entrée dans le bureau, il lui semblait que quelque chose n'allait pas. Elle ne pouvait rien déceler encore. Mais, Élaine Ramsey lui apparaissait fatiguée. Un léger cerne ombrageait son regard, d'habitude clair et déterminé. Une grande lassitude l'habitait. En balayant la pièce du regard, Isabelle aperçut la veste marine sur la table. Ce n'était pas son habitude de manquer d'ordre de cette façon.

Elle déposa son cartable sur le bureau. Puis, sans préambule, elle lui demanda:

—Est-ce que tout va bien, madame Ramsey? Pardonnez-moi. Mais je vous trouve un peu... fatiguée et nerveuse.

—Je vois que vous avez remarqué le désordre dans le bureau, lui répondit-elle, en se levant pour prendre son veston et le ranger dans la petite garde-robe. Non, ça va... C'est ce fichu dossier McGraw qui me donne du fil à retordre. Excusez-moi si je vous donne l'impression d'être fatiguée. Mais je suis arrivée au bureau très tôt. Disons que ma nuit de sommeil a été courte. Je n'ai pas beaucoup dormi. Alors...

Elle reprit sa place derrière le large bureau. Puis elle ajouta:

—Isabelle, nous travaillons ensemble depuis un bon bout de temps. Et nous sommes devenues des confidentes. Je ne voudrais pas entrer trop intimement dans votre vie personnelle, mais...

Étonnée de cette réplique, Isabelle, le visage devenu soudainement sérieux, ne lui laissa pas le loisir de terminer sa phrase.

—Qu'est-ce qui se passe, madame Ramsey? Ai-je accompli quelque chose qui vous déplaît? J'avoue que...
—Non, rassurez-vous. Je n'ai rien à vous reprocher. Bien au contraire! Vous m'êtes indispensable, n'en doutez jamais. Pardonnez-moi si ma question vous a surprise. Je me suis mal exprimée. Ce que j'aurais dû vous demander, c'est plutôt votre avis de mère de trois enfants.

Elle s'arrêta de parler, en souriant doucement à son interlocutrice.

—Bon, je me sens soulagée. Vous savez, on essaie de faire de notre mieux, mais on ne sait jamais. Tout peut arriver si vite! Nous ne sommes pas à l'abri des imprévus ou d'une erreur possible. Mais, disons que je vous reconnais davantage lorsque votre visage sourit. Que voulez-vous savoir, au juste, madame Ramsey? Est-ce que, par hasard, ajouta-t-elle, en commençant à comprendre, vous seriez...

Élaine enchaîna aussitôt:

—Non, Isabelle. Je dois traiter ces jours-ci un contrat d'assurance retors, concernant une mère et son jeune bambin, décédés à la suite d'un accouchement particulièrement difficile. Le médecin accoucheur et l'institution hospitalière sont remis en question.

Elle prit un temps d'arrêt, pour mieux préparer sa question. Ce qu'elle venait d'affirmer constituait une excuse valable. La situation exposée s'avérait vraiment un cas bien spécial à traiter. Mais là n'était point sa préoccupation première.

—Isabelle, si je vous pose ces questions, c'est pour comprendre un peu plus la complexité de ce dossier. Votre expérience de la maternité n'est pas banale...

—Eh bien, je dirais presque qu'un sixième sens se met en branle, quand la conception s'opère en nous. Nous développons une sensibilité accrue à tous les petits riens de la vie. Tout se passe comme si, soudainement, nous devenions consciente qu'un mystère commence à naître et que nous devrons y accorder désormais toute notre attention, notre tendresse et notre vie.

Elle s'arrêta un léger moment, le temps de réfléchir un brin. Puis, l'amour se lisant dans ses yeux, elle termina sa phrase.

—Donner naissance à nos trois enfants, ce fut, je crois, ce qui a pu nous arriver de plus beau, depuis notre première rencontre, Antoine et moi. Ils constituent notre richesse et notre avenir. Nous les aimons de tout notre cœur, de toute notre âme, madame Ramsey.

—De toute votre âme, dites-vous?

—Oui... Je crois que le contraire serait impensable dans notre cas.

—Je vous remercie beaucoup, Isabelle, se contenta de répliquer Élaine, en ouvrant de nouveau le volumineux dossier.

—Le hic dans tout ça, c'est que monsieur McGraw, lui, s'en fiche bien et ne peut plus attendre...

*

Après avoir roulé une bonne heure, la circulation métropolitaine de huit heures étant particulièrement dense en ce début de septembre, Élaine déboucha enfin au bout de l'avenue conduisant à sa demeure. Bordée de magnifiques érables rouges, l'imposante maison avait fière allure.

Élaine avait stoppé la berline devant la porte du garage. Elle prit sa mallette et son portable. Les portières verrouillées, elle se dirigea vers la porte d'entrée de la maison.

—Ouf, se dit-elle, en déposant ses effets sur la table d'entrée. Vivement, que la fin de semaine commence!

Elle enleva ses souliers et mit ses pantoufles. Elle passa ensuite à la cuisine, le temps de se préparer une infusion de tisane. En dénouant ses cheveux, elle vint prendre place dans son fauteuil et alluma le téléviseur. L'animateur répétait les manchettes du jour, en débitant les mêmes nouvelles qu'elle avait entendues au cours de son trajet de retour. Elle ferma alors l'appareil et revint dans la cuisine.

Son infusion était prête. Un délicat parfum de jasmin vint caresser son odorat. Au même moment, la grande horloge de l'entrée se mit à sonner

—Déjà 8 h 30, pensa-t-elle. La réunion exécutive a duré plus longtemps que prévu. Mais je suis bien contente que le dossier McGraw soit maintenant une affaire classée.

En un geste coutumier, elle ouvrit le réfrigérateur. Elle y jeta un rapide coup d'œil en se disant:

—Bof, un simple sandwich au jambon me suffira. Je n'ai pas l'appétit d'un ogre. Heureusement que j'ai donné congé à madame Racicot. D'habitude, elle ne lésine pas sur la préparation des repas, surtout lorsque Nicolas est à la maison.

—Ah, cher Nicolas... Comme tu me manques... Ce fichu voyage à Vancouver est tombé à un bien mauvais moment. Je voudrais tant que tu sois près de moi, là, maintenant. Il me semble que ce serait plus facile. Et dire que tu ne seras pas là avant une semaine!

La tempe appuyée sur sa main, elle regardait sans appétit l'assiette qu'elle s'était préparée. Elle porta alors la tasse de tisane ses lèvres. Puis elle entama un morceau du sandwich.

—Force-toi un peu, Élaine! Pour tout avouer, tu m'as presque rien avalé aujourd'hui...

Ses pensées se bousculaient dans sa tête à un rythme accéléré.

—Comme j'aimerais me retrouver à Notre-Dame de la Rive, se dit-elle. Il me semble que la proximité de l'eau, le calme, tout cela viendrait m'apaiser et me permettre d'analyser clairement la suite des choses. Je suis si bouleversée! Une simple grossesse ne peut certainement pas causer un tel stress. Non. Le hic, c'est que je ne sais vraiment pas comment je pourrai annoncer cette nouvelle à Nicolas et prévoir sa réaction... Tout est là, je crois bien, même si je n'ose pas me l'avouer. Nos positions ont été bien claires à ce sujet. C'est ce voyage à Paris qui a changé les données. Et voilà où j'en suis maintenant. Un simple moment de négligence, un oubli de comprimés, pas de pilule du lendemain et tout s'est déréglé, même si nous avions pourtant pensé avoir tout prévu.

Elle aurait bien aimé que ses pensées s'arrêtent de tourner sans cesse dans sa tête fatiguée. Rapidement, elle termina sa légère collation. La longue fin de semaine de la fête du travail lui serait drôlement bénéfique. Ce qui la rassurait, en une certaine façon, depuis son départ du bureau, c'est cette idée bien précise qui avait germé dans son esprit: quitter Outremont et rendre visite au docteur Racine, à Trois-Rivières, durant une partie du week-end.

—Jean-Pierre et Madeleine sont si accueillants... Cela me fera grand bien de les revoir. Le docteur Racine est un homme de bon conseil. Il saura trouver les mots pour me rassurer.

Rapidement, elle rangea la cuisine. Sa décision était prise. Elle partirait le lendemain. En quelque sorte soulagée, elle monta ensuite à l'étage et eût tôt fait de passer sous la douche. Sa toilette terminée, elle se glissa sous les draps, un peu plus détendue. Elle saisit alors le volume qui se trouvait sur la table de chevet. Mais son esprit ne semblait guère disposé à une lecture attentive. Les mots dansaient devant ses yeux. De nouveau ses pensées l'assaillaient en vrac.

—Où en sommes-nous rendus, mon Dieu, dans notre relation de couple? Qu'avons-nous accompli de vraiment nécessaire dans notre vie jusqu'à maintenant, Nicolas et moi? Honnêtement, je ne saurais trop le dire. Tout s'est enchaîné si vite! Nous n'avons pas encore pris un temps d'arrêt pour en dresser le bilan. Tout n'est qu'une succession de jours remplis des obligations et du rendement nécessaires, dont dépendent nos carrières respectives. J'ai l'impression que nous tournons sur un manège incessant, qui répète toujours les mêmes rengaines. Nos vies sont égoïstes, imbues d'elles-mêmes, axées sur des valeurs que nous avons jugées non négociables. Et pourtant, la naissance d'un enfant, sans contredit, c'est le plus beau mystère qui existe et qui ne demande qu'à faire éclater la vie en pleine lumière.

Comme une avalanche soudaine, toutes ces réflexions tournoyaient dans sa tête fatiguée. Tout à coup, elle se sentit frissonner.

—Pourtant, nous sommes apparemment heureux, bien installés dans ce train de vie, dans cet équilibre presque excessif qui nous conduit à un rythme d'enfer. Alors, qu'est-ce qui en fait grincer les roues subitement?

Mais elle ne connaissait que trop la réponse à ces réflexions intimes. Elles avaient déjà fait irruption chez elle. Mais elle avait cru bon d'en repousser l'écoute à un possible lendemain, prétextant un rendez-vous urgent, une réunion importante, un colloque inévitable, un projet à bâtir, un problème à résoudre.

Non, ce soir, la vie germait en elle, inéluctable réponse. Plus rien alors ne lui semblait avoir d'importance.

*

La circulation s'annonçait dense, lorsque Élaine emprunta l'autoroute en direction de Trois-Rivières. Cela l'obligea à ralentir quelque peu. Le va-et-vient incessant des voitures requérait toute son attention. Elle conduisait prudemment, le regard fixé sur la route, le dos bien appuyé et les mains solidement agrippées au volant.

Son appel téléphonique matinal au docteur Racine lui avait permis de confirmer sa venue. Elle avait donc quitté sa demeure très tôt. Elle espérait gagner le plus de temps possible. Elle avait tellement hâte de retrouver la chaleur et l'affection de Jean-Pierre et Madeleine. Elle chérissait par-dessus tout ces deux êtres, qui savaient discuter de tout et prodiguer de sages conseils, le cas échéant. Elle se sentait particulièrement à l'aise dans cette confortable demeure, accueillie, aimée et surtout respectée, en quelque sorte.

*

—Ma chère petite Élaine, à voir vos larmes couler, je sens bien que quelque chose se passe et revêt une grande importance. Vous devez bien vous en douter, j'en ai vu défiler des tas de gens dans ce bureau. Alors, vous comprenez. Plus rien ne m'étonne. Dès que vous êtes entrée dans la maison, je me suis immédiatement rendu compte que ça ne tournait pas. Qu'y a t-il, Élaine? Est-ce que votre vie amoureuse est remise en cause?

—Non, docteur Racine... Ne vous en faites pas à ce sujet. Mais, dans une certaine mesure, ce que je vais vous confier vous éclairera davantage. Un test préliminaire pharmaceutique me l'a confirmé. Je crois bien que je suis enceinte, si tant est que l'on puisse faire confiance à de tels examens. Mais, si je me fie à tous les signes précurseurs, je crois bien que c'est le cas. Comprenons-nous bien, cependant. Ce n'est pas le médecin que je suis venue consulter, mais vous, Jean-Pierre, parce que vous êtes aussi mon père, d'une certaine manière.

—Mais que voilà une excellente nouvelle, s'exclama-t-il aussitôt! Vous n'avez pas raison de pleurer, Élaine! Votre grossesse présumée, c'est un cadeau magnifique que la vie s'apprête à vous faire. Venez avec moi. Nous allons tout de suite annoncer cette magnifique nouvelle à Madeleine, dit-il, en passant tendrement son bras autour de son épaule.

—Non, pas tout de suite, si vous le voulez bien. Je préfère que cette confidence demeure entre nous. Vous comprenez. Nicolas n'est pas encore au courant. J'aimerais tant qu'il soit là, en ce moment précis, avec nous deux...

—Ah, je vois...

Le docteur Racine s'était rassis. Il croisa ses mains, en les appuyant sur le bureau.

—Élaine, peut-être suis-je trop vieux. Mais il y a quelque chose que je ne parviens pas à saisir. On dirait presque que vous redoutez le moment d'annoncer cette nouvelle à Nicolas. Serait-ce le cas?

—D'une certaine manière. Rien n'a cependant changé entre Nicolas et moi. Nous poursuivons notre existence, notre petit bonheur tranquille, quand une accalmie vient interrompre ses nombreux voyages. Nous parcourons, chacun de notre côté, nos routes d'affaires, en effectuant nos tâches, en scrutant les mêmes visages de confrères et consœurs de travail. Et de semblables propos financiers, économiques et industriels s'échangent toujours, au cours de nos réunions. En un certain sens, nos carrières se rejoignent, du moins à ce titre...

Elle s'essuya les yeux avant de poursuivre.

—D'un commun accord, lors de ce fameux voyage à Rio, au tout début de notre relation, nous étions déjà largement convaincus que nos carrières prendraient un essor considérable. Dans ce cas, la venue d'un enfant au sein de notre couple devenait impensable. Nous avons donc décidé de ne pas en avoir, qu'un tel événement dans notre vie perturberait nos plans et notre démarche commune.

Le temps de soupirer un brin, elle continua:

—Quelques années plus tard, le sujet est revenu sur le tapis. De nouveau, Nicolas est demeuré inflexible sur ce point. J'ai encore acquiescé, quoique avec un pincement au cœur. Tout semblait réglé. Mais, lorsque j'ai effectué le test préliminaire, il n'y avait plus de doute: il était carrément positif.

Elle observa une longue pause, en voulant bien peser chaque mot qu'elle s'apprêtait à énoncer. La tête baissée, en tournant lentement la bague à son annulaire, elle lui confia alors:

—Nous avons fait preuve d'un sacré égoïsme, tous les deux. Un égoïsme voulu, étudié et savamment dosé. Et aujourd'hui, nous croyons ou, du moins, nous avons l'impression que nous avons gagné notre gageure de vie: l'aisance financière, la considération dans nos relations, les importants dîners d'affaires, deux demeures cossues où nicher notre amour. En somme, nous avons réuni tous les ingrédients qui rendent les gens apparemment heureux. Mais ce n'est pas le cas actuellement... Du moins, en ce qui me concerne.

Elle s'arrêta un petit moment, puis poursuivit:

—Maintenant, je pense bien que vous comprenez un peu plus pourquoi j'appréhende la réaction de Nicolas, lorsqu'il apprendra ce qui nous arrive. Je suis convaincue qu'il lui sera bien difficile de faire face à cette éventualité. La venue d'un enfant dans notre couple est bien loin de ses préoccupations actuelles. La compagnie Mirage Technology veut étendre ses ramifications en Asie. On l'a pressenti pour piloter ce sérieux projet d'expansion. Vous imaginez un peu les longs voyages et les nombreux déplacements qu'il devra faire.

Le docteur Racine observait attentivement Élaine, avec un mélange de tendresse et d'étonnement. Ses confidences lui allaient droit au cœur.

—Élaine, j'imagine aisément votre désarroi face à une telle éventualité. Et, dans votre état, croyez-moi, vous ne pouvez vous permettre de vivre une situation aussi stressante. Je crois sincèrement que la première étape que vous devrez franchir, c'est de rendre visite à un gynécologue. Il faut absolument que vous soyez rassurée au sujet de votre état et des répercussions possibles que pourraient avoir les lourdes charges de votre travail sur le déroulement de votre grossesse. Un tel suivi est absolument nécessaire. Quant à Nicolas, je pense le connaître un peu. Cette nouvelle imprévue lui causera certainement un choc. Disons plutôt une surprise de taille. Mais lorsque l'adrénaline aura repris son cours normal, en homme rationnel et avisé, il reprendra vite ses esprits. Tous deux, vous pourrez alors en discuter à tête reposée. Une bonne analyse, franche, honnête, comme deux personnes adultes qui s'aiment peuvent le faire.

—Je vous remercie du fond du cœur. Je me sens bien soulagée de m'être confiée de la sorte. Votre écoute m'a été bien nécessaire. Nous vous aimons tant, Nicolas et moi!

—Je connais un excellent gynécologue. Il exerce à Montréal et est rattaché à Notre-Dame. Dès lundi, je vais le contacter et vous fixer un rendez-vous. Il s'appelle Jean Bourdais. C'est un homme charmant et d'une grande expérience. Il vous sera d'un grand soutien. Je vous confirmerai le jour et l'heure de votre rendez-vous, dès que ce sera possible. Cela ne tardera pas. C'est un vieil ami. Soyez rassurée. Tout ira très bien.

—Merci infiniment. À présent, il me semble que je sais un peu plus où je me dirige. Vous savez, résoudre un épineux contrat d'assurance, cela ne constitue pas un problème pour moi. Mais pouvoir gérer adéquatement ses propres angoisses, ça, c'est autre chose. Votre aide m'éclaire énormément, docteur Racine.

—À la bonne heure! Maintenant, allons rejoindre Madeleine. Je crois qu'elle est en train de nous concocter un de ces mets dont elle détient le secret. Nous allons nous régaler ce soir.

*

Se sentant un peu plus réconfortée qu'à son arrivée, elle embrassa Madeleine Racine avec une grande marque d'affection. Radieuse et ravie tout à la fois de ce geste d'une touchante tendresse, elle leur déclara sur un ton badin:

—Eh bien, vous en avez mis du temps. Vous deviez avoir beaucoup de choses à vous raconter. Je commençais à avoir hâte de converser avec toi, Élaine.

—Moi de même. Mais, vous devez vous en douter, depuis le temps que votre mari exerce la médecine, parfois, il y a des choses qui ne peuvent pas attendre, reprit-elle, en souriant légèrement, un brin d'énigme dans la voix.

*

Quelques jours plus tard, lorsque Élaine entra dans le cabinet du docteur Bourdais, une impression étrange se produisit chez elle. Tout semblait baigner dans une atmosphère feutrée. Quelques femmes feuilletaient distraitement des revues à la mode. Elle prit place, en les gratifiant d'un sourire distrait. Un peu mal à l'aise, elle se sentait bien étrangère dans ce lieu de consultation.

—Décidément, je me sens plus à l'aise dans mon bureau, réfléchissait-elle, en saisissant un dépliant d'information médicale, histoire de se donner contenance. Mais son attente ne dura pas longtemps. La porte de la salle d'examen s'ouvrit. D'un geste discret, l'assistante du docteur Bourdais lui demanda d'entrer.

—Madame Ramsey, le docteur vous attend. Si vous voulez bien me suivre.

*

—Docteur Bourdais, voilà où j'en suis actuellement. Depuis le résultat positif du test, j'ai l'impression que tout s'est mis à tourner dans ma tête, dans ma vie, mon travail. Je ne sais vraiment plus du tout où j'en suis. Même si je suis consciente que j'abuse peut-être un peu trop de votre temps, je me sens soulagée de vous raconter tout cela.

—Oh, vous savez, c'est votre première visite à mon cabinet. Si je veux procéder à un suivi rigoureux de votre grossesse, il est opportun pour moi de vous connaître davantage. Donc, le temps n'est pas en cause. Sentez-vous bien à l'aise. Vous m'avez dit que vos parents étaient décédés dans un accident d'automobile, alors que vous veniez à peine d'entamer vos études collégiales. Comment vous êtes-vous débrouillée par la suite?

—J'ai ramassé ce qui me restait de courage pour continuer ma route. Étant fille unique, c'est la sœur de mon père qui m'a accueillie dans sa maison et son affection. Cette chère tante vivait seule et je crois que cette épreuve nous a permis mutuellement de combler un grand vide affectif. Elle venait à peine de subir une épreuve douloureuse: la perte de son mari. Quelques années plus tard, elle est décédée d'un cancer, assez rapidement d'ailleurs. Alors, vous comprenez que mon côté confidences féminines n'a point eu le temps ni le loisir de trouver un terrain propice où s'épancher. J'ai alors décidé de consacrer toutes mes énergies à mes études en administration des affaires, en ayant une seule idée en tête: réussir à tout prix et devenir la meilleure dans mon domaine. Aujourd'hui, je peux affirmer que j'ai pratiquement atteint mon but. Cela dit sans prétention. Ma rencontre avec Nicolas, l'homme qui partage ma vie a été presque providentielle. Tous deux, nous étions sur la même longueur d'ondes. Alors épouser ses foulées devint très facile pour moi. Je n'attendais pas autre chose de la vie, qu'une rapide montée dans le monde des affaires. Nous y sommes presque arrivés, à présent. Et pour ce faire, nous avions conclu un pacte tacite: ne pas avoir d'enfants...

Élaine fit une pause, un peu mal à l'aise. Puis, elle ajouta:

—Seulement, voilà. Les choses se présentent sous un nouvel éclairage, maintenant que vous avez confirmé mes appréhensions: je suis enceinte depuis un mois déjà.

Le docteur Bourdais se leva et vint s'appuyer sur le rebord de son bureau, directement en face d'elle.

—Est-ce que je me trompe en pensant que... Il observa un petit moment de silence, cet enfant n'est pas tout à fait le bienvenu?

Élaine Ramsey, appréhendait que cette question fuse de la part du médecin. Elle trouva quand même le courage de le regarder attentivement.

—Je ne sais vraiment pas... Nicolas ne sait rien encore. Il doit revenir de son voyage à Vancouver en fin de semaine. Je compte bien le mettre au courant, dès son retour. De toute façon, il me faudra bien le lui dire un jour ou l'autre, dit-elle, en souriant légèrement. C'est un homme vraiment perspicace. Il se rendra compte tout de suite que quelque chose me tracasse au plus haut point, même si je n'en parle pas. Et si c'était le cas, cela ne règlerait en rien la situation.

—Au contraire, madame Ramsey. Tout tourne à merveille, si j'en crois les données de l'examen préliminaire que je viens de vous passer. Votre état de santé m'apparaît excellent. Et la grossesse, vous savez, ce n'est pas une maladie. C'est un phénomène absolument normal. Je ne pense pas vous l'apprendre, en tous cas. Les examens et les prélèvements nous permettront d'en apprendre davantage. Mais, entre-temps, la première étape que vous devez franchir consiste en une discussion ouverte avec votre conjoint. Une solide mise au point de vos vies respectives s'impose. Une troisième vie s'annonce maintenant et deviendra de plus en plus exigeante.

Le docteur Bourdais arrêta de parler. Un silence lourd semblait maintenant peser sur les épaules d'Élaine.

—Cependant, si vous deviez en arriver à penser à un avortement comme solution dans votre cas, j'aimerais bien que vous veniez m'en glisser un mot avec votre conjoint. Madame Ramsey, une décision aussi sérieuse peut entraîner de lourdes conséquences. On ne peut traiter cette question à la légère. Mais, cependant, la liberté du choix vous appartient. Moi, je ne puis que vous prodiguer quelques conseils qui vous seront sans doute utiles, le cas échéant. Vos professions revêtent une importance capitale pour vous deux. Je n'en doute point. D'ailleurs, votre réussite le prouve. Mais la vie qui s'installe progressivement en vous l'est aussi. Alors, vous comprenez que votre choix doit être éclairé le plus possible. Mais je vous le répète, le choix vous appartient. Personne ne peut intervenir dans votre décision. Tout ce que nous pouvons faire, c'est conseiller.

Élaine ne disait mot. Elle leva les yeux vers le médecin. Le docteur Racine avait eu bien raison de lui suggérer cette visite. Les propos du docteur Bourdais confirmaient ce qu'elle pensait. Mais ils venaient surtout lui révéler l'importance de sa confrontation à venir avec Nicolas.

—Merci infiniment, docteur. Je suis particulièrement touchée de votre grande bienveillance. Elle me réconforte énormément.

—Cela fait partie de mon travail que de conseiller mes patientes le plus adéquatement possible, répliqua-t-il, en se dirigeant vers une étagère. De nombreux dépliants y étaient rangés. Il en sélectionna quelques-uns qu'il remit ensuite à Élaine.

—Tenez, madame Ramsey. À tête reposée, vous prendrez connaissance de leur contenu. Cela pourra vous éclairer. Lors de votre prochaine visite, nous pourrions en discuter davantage. Ma secrétaire va vous fixer un carnet de rendez-vous, en tenant compte de vos disponibilités. Quant à moi, je vais vous remettre une ordonnance. Ne vous en faites pas. Il s'agit de comprimés anti-nausées, si le besoin s'en fait sentir. Pour le reste, la nature s'en chargera. Ce n'est pas plus compliqué que cela, Bonne route, madame Ramsey, ajouta-t-il, en lui donnant la main en souriant.

*

L'après-midi touchait presque à sa fin. Après avoir passé par la pharmacie, située non loin du bureau du docteur Bourdais, Élaine avait fait remplir son ordonnance et magasiné quelques emplettes. Puis, elle était entrée dans le premier café venu. Elle ne voulait pas se retrouver tout de suite à sa demeure. Attablée devant un jus de fruits, elle ne pouvait détacher sa pensée des propos du docteur Bourdais:

«On ne peut traiter cette question à la légère. Mais, cependant, la liberté du choix vous appartient.»

—*«La liberté du choix vous appartient.»* Ah, si seulement Nicolas pouvait comprendre, là tout de suite, que cette étincelle de vie en moi a des ailes, qu'elle peut voler, toute blanche, comme si le ciel s'habillait du plus beau rêve du monde... Mais, ce que j'appréhende, c'est plutôt une vague de dépit, une grande déception, qui risque d'entacher l'amour qui nous unit. Comme j'aimerais qu'il le sache déjà, que le temps fasse un saut en avant et redevienne au beau fixe!

*

Leur spacieuse demeure de la rue Dunlop, à Outremont, ne lui avait jamais parue aussi silencieuse. Seul le tic-tac de l'imposante horloge de l'entrée en rompait la monotonie. Élaine ouvrit la penderie et y accrocha son manteau. Puis, elle déposa son sac à main sur la première marche de l'escalier, ainsi que l'enveloppe brune contenant les dépliants que le docteur Bourdais lui avait remis. Sans plus tarder, elle se dirigea vers la cuisine. Madame Racicot, sa dame de confiance, fidèle à son habitude, lui avait laissé une petite note aimantée à la porte du réfrigérateur.

«Votre repas est prêt. Vous n'avez qu'à le réchauffer un peu. Bonne soirée, madame Ramsey.»

Elle ouvrit la porte du four. Un délicieux pot-au-feu reposait sur la grille. Élaine ne put s'empêcher d'en humer l'arôme. Elle enleva le couvercle de verre de la cocotte. Toute la saveur du plat lui monta aux narines.

—Ah, Julie! Qu'est-ce que je deviendrais sans vous, se dit-elle, en replaçant le couvercle.

*

Installée confortablement dans son lit, elle en profita pour s'étirer à son aise. Depuis un bon moment, elle en sentait le besoin urgent, comme si cet endroit constituait une espèce de refuge, où rien ne pouvait lui arriver.

—Je me sens comme un miroir qui réfléchit les réflexions du médecin. C'est étonnant ce que les mots et les idées peuvent revêtir de force, quand ils le veulent et susciter nos réactions les plus profondes, se dit-elle. Puis, tout doucement, elle ajouta, comme si elle s'adressait tout bonnement à son enfant en devenir:

—C'est quand même dommage que nous ne puissions jamais envisager les choses de la vie avec certitude. En fait, nous ne l'avons jamais. Oui, jamais on ne sait ni où ni quand les choses se terminent. Tout n'est qu'une question de volonté réciproque. Ou d'amour peut-être... Qui sait?

Bien appuyée sur ses oreillers, d'un geste sans conviction apparente, elle ouvrit l'enveloppe brune et en sortit les dépliants du docteur Bourdais. Depuis le repas qu'elle venait de prendre, une espèce de lourdeur s'était emparée d'elle. Toute la lassitude qu'elle avait accumulée depuis des jours venait subitement la tourmenter. Elle sentit alors le besoin urgent de se rendre à la salle de bain. Une nausée soudaine envahissait son être tout entier

*

De retour dans son lit, après s'être humecté le visage d'eau froide, elle se sentit beaucoup mieux. Elle ferma les yeux un moment, en prenant le temps de respirer profondément à plusieurs reprises. Puis, après avoir bu un peu d'eau, elle jeta un regard vers les dépliants qu'elle avait placés sur sa table de chevet. Elle saisit l'un d'entre eux au hasard. Il portait un titre drôlement évocateur: *L'avortement – un choix difficile.* En exergue, se trouvait inscrite une citation fort éloquente d'Alexandre de la Garde:

"L'avortement est tellement passé dans les mœurs que presque plus personne ne se pose la question de connaître les conséquences de cet acte pour la mère et l'enfant."

Ébranlée par cette assertion mais, en même temps, curieuse de connaître le contenu du dépliant, elle tourna prestement la page.

Bien installé au chaud dans le ventre de sa mère, l'enfant est niché là, comme une belle histoire qui naît. Il est là à écouter dans le silence les vibrations de la vie, comme si une éblouissante lumière s'offrait à lui, en joignant ses notes aux musiques éternelles de l'univers. Car un embryon de vie ne naît pas tout seul. Son histoire est périphérique en quelque sorte. Et nous, nous sommes là pour lui ouvrir l'espace, puisque, avec lui, nous devenons les complices de son histoire, un voyage où nous lui avons permis le point de départ, en lui faisant comprendre que nous serions aussi présents à son arrivée. D'une certaine manière, nous devenons l'altérité de son histoire, en lui donnant tout son sens, depuis le début de la vie embryonnaire jusqu'à la fin de son existence.

Oui, c'est une bien belle histoire que la vie d'un embryon humain. Avec lui, nous sommes dans la course et non plus dans l'attente. Cet être, c'est une personne potentielle, qui possède les plus belles promesses de vie. En somme, la vie, l'unique vie prêtée, abstraite, sacrée, la vie, cette richesse illimitée et absolue sera là, avec son flot de rires et de larmes...

Il faut la laisser entrer... à pas feutrés, de peur qu'elle ne s'éteigne trop vite, avant d'avoir connu la lumière du jour...

Élaine replia le document. La lecture de ce texte l'avait remuée jusqu'au fond d'elle-même. Sans trop s'en rendre compte, durant sa lecture, elle avait doucement placé sa main sur son ventre, comme si elle désirait se convaincre que sa situation était bien réelle.

Elle sentit ses yeux s'embuer. Une intense émotion lui nouait la gorge.

—Il est là. Il vit et communique avec moi. Comment alors ne pas être bouleversée par un tel mystère, se dit-elle, en s'essuyant les yeux. Le seul fait de lire le mot avortement me donne envie de vomir. Je crois que jamais je ne pourrai m'y résoudre, même si tel était le désir de Nicolas. Je connais tellement ses prises de position à ce sujet. Qu'adviendra-t-il alors de nous deux, de nos rêves communs, de notre amour?

Elle avait saisi son oreiller pour y enfouir son visage, lorsque la sonnerie du téléphone se fit entendre, brisant ainsi le lourd silence de la chambre. Vivement, elle décrocha le récepteur.

—Allo! Ah, c'est toi, Nicolas! Comme je suis contente d'entendre enfin ta voix. Tu ne peux pas savoir. J'ai tellement hâte que tu reviennes...

Visiblement, elle faisait de gros efforts pour ne pas pleurer. Les yeux brouillés par les larmes toutes proches, elle écoutait attentivement la conversation de Nicolas, cet homme qu'elle aimait tant, qui partageait sa vie avec grande sollicitude et tendresse, mais dont elle redoutait particulièrement l'arrivée. De l'autre bout du pays, sa voix lui parvenait claire et rassurante, comme si le temps se gardait au beau dans cette province qui lui semblait si lointaine.

— Je serai à l'aéroport à l'heure prévue pour t'accueillir. J'ai tellement besoin de te serrer dans mes bras! Rentre vite à la maison. Fais attention à toi. Je t'embrasse bien fort... Bonne nuit... Pardon? Ah oui, tu as raison... Quelques jours, c'est vite passé, comme tu dis... Je t'aime, Nicolas.

Elle replaça le récepteur. Puis, sans honte aucune, fatiguée de sentir les larmes lui brouiller les yeux, sans retenue, elle les laissa alors couler sans bruit. Elle libérait ainsi ses émotions refoulées depuis sa sortie du cabinet de consultation du docteur Bourdais.

Un moment après, elle se leva et alla de nouveau s'asperger la figure d'eau froide. Puis, lentement, elle retourna au lit, avec l'idée bien arrêtée que, le lendemain, Nicolas pouvait renter au bercail en toute quiétude. Sans craindre quoi que ce soit, elle se sentait maintenant prête à lui confier son secret de vie, contre vents et marées.

*

À Vancouver, Nicolas venait à peine de sortir de l'interminable réunion avec les représentants de la Société Mirage Technology, section de l'ouest canadien. Un peu plus harassé que d'habitude par cette surcharge de travail, il avait réintégré prestement sa chambre d'hôtel. Quelques instants auparavant, il avait poliment décliné l'invitation de ses partenaires d'affaires à venir prendre un verre. Plus que tout, il désirait rentrer à Montréal. Un étrange pressentiment habitait son esprit depuis la veille. Au téléphone, Élaine lui avait semblé un peu inquiète. Contrairement à ses habitudes, il l'avait trouvée passablement fébrile.

— Il faudrait bien que j'arrête un peu de brûler la chandelle de cette façon et prendre des vacances avec elle. L'ordre n'existe pas que dans les affaires, mais en amour aussi, mon vieux Nicolas. Depuis plusieurs années, une grande partie de mon temps a plutôt consisté à voyager, planifier et assister à de sérieuses et longues réunions d'affaires.

Après un brin de toilette sommaire, le temps de se rafraîchir un peu, il se dirigea vers l'ascenseur. Lorsqu'il y entra pour descendre à la salle à manger, au rez-de-chaussée de l'hôtel, il aperçut un petit garçon blondinet d'environ six ans, accompagné d'un adulte qu'il jugea vraisemblablement être son père. Le garçonnet l'avait accueilli avec un éclatant sourire, comme seuls les bambins de cet âge en sont capables. Surpris et à la fois amusé de cet accueil si lumineux, Nicolas lui rendit la politesse avec beaucoup de douceur. Lorsque la cabine de l'ascenseur s'arrêta, l'enfant lui envoya un salut de la main, avant de filer vers la sortie.

Étonné par cette rencontre fortuite, Nicolas prit le temps de regarder dans sa direction, tout en se disant:

—C'est étrange, cette rencontre...

*

Une splendide fin de jour s'annonçait en perspective sur les gratte-ciel de Montréal, lorsque Élaine emprunta l'autoroute menant à l'aéroport international. Les nuages quittaient lentement le ciel, en laissant la place à un voile presque diaphane derrière lequel le soleil descendait lentement.

«Comme ça tourne en coup de vent, le bonheur, pensait-elle. Un jour, c'est l'amour. Et, le lendemain, c'est l'estime de soi qui en prend pour son rhume, quand surviennent des événements inopinés...»

Elle circulait adroitement sur l'autoroute bondée. Depuis quelques jours, elle se devait d'admettre combien il était vain de vouloir mesurer l'ampleur ou de veiller de longues heures à la recherche des mots magiques qui en assureraient les assises ou le succès.

«Si cela était aussi simple que de faire confiance à un programme informatique. Mais on sait fort bien qu'une simple contrainte logicielle pourrait venir en perturber les données. Et je crois que cette contrainte, bien, elle est devenue réalité, à présent, pensa-t-elle.»

Non, aujourd'hui, sa décision semblait bien arrêtée. Cette journée serait déterminante pour leur vie commune, leurs carrières, leur amour. En somme, une certitude de plus en plus forte s'installait dans sa tête. Leur aventure conjugale prendrait sûrement une nouvelle tournure. L'heure des confidences approchait, sans aucune possibilité de retour en arrière. Maintenant, elle était prête.

—Vous n'êtes pas seule dans cette aventure. Nicolas doit assurer sa grande part de responsabilités, lui avait répété le docteur Racine, lors de leur dernière conversation téléphonique. Le monde des affaires, le succès, les promotions et que sais-je encore, c'est un état de fait et un grand défi. Il exige beaucoup de celui ou celle qui s'y engage. Mais le bonheur, lui, ne tolère pas les compromis. Il se construit avec la force que donne l'amour. Nicolas est un homme doué d'une grande intelligence et foncièrement honnête. Mais l'esprit de compétition est tellement fort chez lui que je serais tenté de dire que l'égoïsme a pris le dessus sur les données essentielles de sa vie et de la tienne. Il vous appartient de lui faire comprendre maintenant que la venue de cet enfant, loin de perturber vos vies, va, au contraire, en constituer la plus belle réussite. Je sais que vous agirez à la hauteur de votre grande âme, j'en suis convaincu. Mais, comprenez-moi bien, cependant. Quelle que soit votre décision, je la respecterai, sans cesser pour autant de vous aimer encore. En fait, encore plus, je crois.

—Quel homme remarquable! Qu'aurais-je fait sans ses sages conseils et son aide précieuse, conclut-elle, au moment où elle s'engageait sur l'intersection menant à l'aéroport, dont elle apercevait à présent la tour d'observation du trafic aérien dans le ciel encore timide de ce crépuscule de septembre.

*

L'aéroport de Montréal fourmillait de voyageurs en transit ou en attente de départ. Nicolas avait hâte de retrouver Élaine. Les longs voyages en avion lui semblaient maintenant un peu plus fastidieux. À sa descente du Boeing 707, il s'était engouffré en vitesse dans le couloir réservé aux arrivées intérieures et menant au carrousel de récupération des bagages. Il lui tardait de la revoir.

À la sortie du débarcadère, elle l'attendait, tel que prévu. Il venait de récupérer ses bagages. Un sourire bienveillant illuminait son visage, comme si le temps n'avait pas existé entre son départ de deux semaines et cet instant où sa présence le rejoignait. Il l'étreignit alors avec affection, en l'embrassant tendrement.

—Tu as fait bon voyage, Nicolas? Tu n'es pas trop fatigué de toutes ces réunions? lui dit-elle, en guise d'introduction, tout en cheminant vers la sortie.

—Oui, bien sûr. Mais je suis surtout très heureux de rentrer enfin à la maison. Mes rencontres d'affaires se sont avérées très positives. Dépêchons-nous de sortir d'ici. Je commence à en avoir marre de tout ce monde et des salles d'attente des aéroports. Et puis, je t'avoue que je suis un peu, beaucoup fatigué. Négocier des contrats et les faire accepter ensuite par d'autres tiers, ce n'est pas de tout repos, je puis te l'assurer. D'ailleurs, je ne t'apprends rien. Toi aussi tu passes par les mêmes problèmes qu'il faut régler.

Il avait empoigné ses deux valises. Sans plus attendre, à pas rapides, Élaine l'entraîna vers la sortie.

*

Une discrète brise automnale agitait les érables de l'allée menant à leur demeure de la métropole. Septembre 1999 entrait doucement dans l'histoire. Il laissait déjà présager le foisonnement de couleurs dont il gratifierait la nature, au cours de son habituelle parade d'automne. Élaine appuya sur le bouton actionnant la porte du garage. Avec précautions, elle y stationna la berline.

—Tu dois sans doute avoir une faim de loup? Entrons. Je vais préparer quelque chose.

—Non, je n'ai pas faim. Durant le vol, on nous a servi un repas assez copieux. Mais je t'avoue que les odeurs familières de la maison me manquent, ajouta-t-il, en ouvrant la malle arrière pour prendre ses valises. La maison d'Outremont, c'est accueillant. Mais j'ai surtout bien hâte de profiter de notre petite Casa de Notre-Dame de la Rive, dit-il, en badinant un tantinet.

Durant le trajet de retour, ils n'avaient presque pas parlé. Mis à part les coutumières conversations concernant leur travail, une remarque de Nicolas avait fait sursauter Élaine, parce qu'elle n'était aucunement liée au sujet dont il parlait. Elle était apparue soudainement, comme un éclair inattendu.

—Élaine, il me semble qu'il y a quelque chose qui ne tourne pas rond chez toi. Je te trouve un air plus fatigué, plus las que d'habitude. Tu as le teint si pâle! Je présume que, toi aussi, tu as dû mettre les bouchées doubles, pendant mon absence. Tu sais, ce n'est pas le temps de tomber malade. Ce serait trop dommage...

Interloquée par cette soudaine affirmation, elle avait fait mine de rien. Avec son sourire pour complice, elle l'avait regardé brièvement, en lui tapotant légèrement la main.

—Ne t'en fais pas. Une petite fatigue passagère te donne possiblement cette impression. Tout entrera dans l'ordre avec un peu de repos, je te le promets. De toute façon, il le faudra bien.

—Que veux-tu dire?

—Je veux dire qu'il faudra bien que ma santé se maintienne au beau fixe. Dans mon état actuel, je ne peux me permettre de faillir à la tâche, comme tu dis. De la manière dont ma vie se dessine actuellement, il y a trop d'importants éléments qui entrent en ligne de compte.

Passablement intrigué par ses propos, Nicolas la regarda attentivement. Il lui semblait que le ton de sa voix tremblait légèrement, au moment où elle lui avait fait cette affirmation.

—D'après ce que je constate, un petit séjour à Notre-Dame de la Rive s'impose également pour toi. Que dirais-tu si nous y allions dès demain. J'ai bien besoin du calme de la Casa pour refaire mes forces. Et je crois que, toi aussi, tu en as bien besoin.

—Je suis bien d'accord. Un petit repos ne nous fera pas de tort, je puis te l'assurer. De toute façon, j'allais te le proposer.

*

Le trajet de l'aéroport vers Outremont s'était quand même déroulé assez rapidement. Les bagages entrés, Élaine s'affairait à mettre de l'ordre dans les vêtements de Nicolas. Mais, en même temps, assise sur le bord de son lit, elle ne pouvait s'empêcher de penser.

—C'est la même histoire qui se continue toujours. Oui, la même histoire. Même si nos deux vies ne constituent qu'un va-et-vient continuel. Nicolas accorde de plus en plus d'importance aux voyages. D'après lui, ils revêtent un intérêt capitale dans le plan de développement international de la firme. Quant à moi, je n'ai pas le loisir de trouver des moments qui justifient une telle fébrilité dans nos rapports de couple.

Elle prit un moment d'arrêt. Elle entendait la douche couler abondamment et Nicolas qui chantonnait.

—Y aurait-il vraiment place pour une vie de famille potable, au milieu de ce brouhaha de nos vies? L'essentiel, l'amour, est-ce que ce serait mieux que l'on arrête carrément d'y penser? Ce serait peut-être beaucoup mieux ainsi.

Soudainement, négative comme un doute, cette réflexion l'effraya.

—Non, ce n'est pas de cette façon que tu vas résoudre le problème... heu... ou plutôt cette situation, se dit-elle, en enfilant son peignoir. La vérité n'admet pas de réplique. Mais on tente bien souvent de la nier.

*

Le lendemain, à bonne heure, en roulant à une allure quand même assez rapide, Nicolas n'avait guère mis de temps pour sortir de la métropole et emprunter la route menant à Notre-Dame de la Rive. Cette fin de semaine s'avérait cruciale pour Élaine. Volontairement, elle avait choisi leur demeure campagnarde pour lui dévoiler enfin la vérité au sujet de sa grossesse. Cet instant, elle se devait de le vivre le plus rapidement possible et prendre les décisions qui s'imposeraient par la suite. Le temps était maintenant venu de rendre les choses claires et limpides avec Nicolas.

Dès leur arrivée, Nicolas avait endossé ses habits de bricoleur et passé la majeure partie de la journée à préparer leur propriété estivale pour l'automne. Quant à Élaine, elle s'était affairée un bon bout de temps à dégarnir les plates-bandes et dresser l'inventaire des pots de fleurs qu'il faudrait bientôt remiser. Puis, se sentant un peu lasse, elle était rentrée tôt, tout en faisant promettre à Nicolas de ne pas mettre les bouchées doubles. Leur maison du bord de fleuve s'avérait toujours aussi accueillante et paisible, surtout au moment venu du crépuscule de septembre sur les eaux du fleuve.

*

Une appétissante odeur de café et de bacon frit montait maintenant à l'étage. Nicolas descendit l'escalier et se rendit aussitôt à la cuisine. Doucement, il vint se placer à côté de sa compagne. En la prenant par la taille, il l'embrassa doucement sur le front.

—Attention, Nicolas. Ce café est brûlant, lui dit-elle en guise de réplique, en remplissant les deux tasses. Tiens, viens prendre place. Tout est prêt.

Il ne pouvait s'empêcher de se laisser pénétrer profondément par le ton de sa voix douce. Elle avait toujours exercé une espèce de magnétisme sur lui. Elle plaça les deux assiettes sur la table et prit place à son tour.

—Comme nous sommes heureux, lorsque nous nous retrouvons dans la chaleur de cette maison, n'est-ce pas, Élaine? Déjà, nos souvenirs s'y installent. Et nous les retrouvons entiers, quand on ouvre de nouveau la porte, lui confia-t-il, avant d'attaquer son déjeuner.

—Oui, tu as raison, Nicolas. Mais, tu sais, il faut faire attention que tout ce beau bonheur, comme tu l'affirmes, ne s'envole trop vite. Quelquefois, il arrive que la vie exige de nous que l'on en tourne les pages assez abruptement...

—Alors, dans ce cas, il n'en tient qu'à nous qu'il dure. C'est une chance incroyable que nous avons d'en détenir les atouts. Qu'en penses-tu?

Au moment même où il lui confiait cela, elle venait à peine d'entamer son déjeuner. Mais elle n'eût pas le loisir de répondre à sa question. Une nausée soudaine envahit alors tout son être. Elle se leva en vitesse pour se rendre à la salle de bain. Surpris et étonné tout à la fois, Nicolas observa son rapide manège, se demandant bien s'il l'avait offusquée par ses propos. Mais l'effet de surprise passé, il se leva aussitôt et alla frapper discrètement à la porte.

—Élaine, que se passe-t-il? Qu'est-ce qui t'arrive, lui dit-il, plus qu'inquiet, en entendant ses efforts répétés pour vomir. Ouvre la porte, je t'en prie!

—Ne t'en fais pas, Nicolas, lui dit-elle, entre deux hoquets. C'est un peu de notre faute, ce qui m'arrive... Ce... Ce n'est rien... C'est déjà terminé... Ne sois pas inquiet...

Abasourdi, un peu comme un automate, il ne comprenait plus rien. Il retourna à table en se questionnant.

—Mais... qu'est-ce qui se passe?

Les paroles d'Élaine avaient eu l'heur de le surprendre, autant que son départ précipité vers la salle de bain.

—C'est un peu de notre faute ce qui m'arrive...

—Mais, qu'a-t-elle voulu signifier par cette phrase?

Soudain, en un éclair flamboyant, une idée soudaine lui traversa l'esprit.

—Est-ce que... par hasard? Non, sois réaliste! Ce ne pourrait être par hasard! Elle serait...?

Au même instant, la figure pâle et les traits tirés, elle vint prendre place devant lui. Son regard se voulait pourtant rassurant.

—Ne t'en fais pas, Nicolas, C'est un phénomène propre aux femmes enceintes que celui-là. Il faudra bien que tu t'y habitues désormais...

—*Enfin,* se dit-elle, *voilà le moment de vérité arrivé. Et il a fallu cette nausée pour que tout s'enclenche...*

La bouche entrouverte, les yeux incrédules, Nicolas avait repoussé son assiette. Cette révélation toute simple lui avait carrément coupé l'appétit et la parole. Bouche bée, ne sachant que dire, il se contentait de regarder sa compagne avec un étonnement accru, mélangé à une incrédulité qui, lentement, envahissait son être tout entier. Alors, prenant son courage à deux mains, il finit par articuler, tout en ayant conscience que sa phrase ne brillait pas par son originalité:

—Tu... tu... enfin, je veux dire, tu... es enceinte?

Élaine avait saisi son verre de lait pour se donner une contenance. Pour toute réponse, elle hocha positivement la tête.

—Tu... tu attends... un ... enfant?

—Nicolas, permets-moi de rectifier, s'il te plaît. Nous attendons un enfant.

—Élaine, est-ce que...?

Ce disant, il se prit la tête entre les mains, tout en inspirant profondément.

—Co... Comment cela a-t-il pu se produire? Nous avions pourtant convenu que... Pourquoi ne m'en as-tu pas parlé dès que tu as appris cette nouvelle?

En le fixant, comme si elle désirait qu'il saisisse bien le sens précis de tous les mots qu'elle allait lui dire, elle enchaîna aussitôt:

—Nicolas, arrête, je t'en prie et laisse-moi m'expliquer. Je trouve ma situation déjà passablement stressante. Et c'est bien difficile pour moi, tu dois en convenir. J'ai longuement appréhendé cette fin de semaine. Dans mon esprit, elle a déjà un nom: *la fin de semaine de la vérité*. Tu me demandes pourquoi je ne t'ai pas mis au courant. La raison en est fort simple: je ne l'ai appris que la semaine dernière, de façon officielle, lors de ma visite chez le gynécologue que ton père m'a conseillé de consulter.

Lentement, comme si elle voulait lui laisser le temps de réfléchir, elle ingurgita le reste du verre de lait à petites gorgées. Lentement, un silence éloquent envahissait la pièce. Alors, Élaine se leva et ajouta, histoire de détendre un peu l'atmosphère.

—Ce qu'il y a de bien avec ces nausées, c'est que dès que tout est terminé, c'est comme si rien ne s'était passé. Veux-tu un autre café, Nicolas?

—Non, merci. Je t'avoue que je n'ai guère envie d'un café en ce moment. Je dois t'avouer que cette révélation m'a quasiment assommé... Pourquoi, Élaine?

—Nicolas, tu sais combien je t'aime. N'en doute jamais... Mais, au début de notre rencontre, alors que nos carrières respectives prenaient leur essor, nous avons placé la barre bien haute tous les deux. Et puis, tout s'est rapidement enchaîné dans le déroulement effréné de nos vies professionnelles. Nos longues absences répétées, doublées de nombreux séjours à l'étranger, nous ont drôlement incités à penser qu'il serait préférable de ne pas tenter de nous bercer d'illusions. Je crois bien que le cours de notre vie devait nous sembler bien normal dans les circonstances.

À ce stade de son discours, elle observa une pause stratégique.

—Mais, seulement, voilà... Même le plus beau contrat mutuel du monde, l'entente réciproque la mieux ficelée peut révéler parfois une faille qui vient contrecarrer nos projets. En affaires, du moins, c'est bien le cas. En ce qui nous concerne, la faille s'est produite au cours de mon voyage à Paris, il y a quelques mois. Après une rencontre particulièrement ardue pour conclure un important contrat, je suis rentrée à mon hôtel, fourbue, fatiguée de toutes ces discussions. Comme je me préparais à me mettre au lit, après cette dure journée d'intenses négociations, je me suis rendu compte que j'avais carrément oublié le petit sac contenant mes comprimés contraceptifs à Montréal. Alors, je me suis dit qu'une petite entorse à ce protocole n'aurait pas de conséquences. Je le sais. J'ai été négligente. J'aurais dû prendre la pilule du lendemain ou bien t'en parler carrément, de façon à ce que tu puisses aviser en conséquence. Mais... Elle s'arrêta momentanément de parler. Puis, avec douceur, elle ajouta:

—Nous sommes si jeunes encore, Nicolas. On ne peut dire non à l'amour quand il frappe à la porte. Tu le sais bien.

Elle observa une nouvelle pause, avant de poursuivre.

—Mais je me trompais, Nicolas, en agissant de la sorte. Je me suis trompée lourdement. C'est ma faute. À mon retour de Paris, j'éprouvais tellement le désir de te serrer dans mes bras! Je le sais et je te le répète, j'ai été imprudente... D'une certaine façon, je n'ai pas respecté notre pacte.

Elle s'arrêta de parler. Des larmes coulaient maintenant. Abasourdi, Nicolas la regardait, sans pouvoir ajouter quoi que ce soit. Il lui semblait que cette soudaine révélation déclenchait dans sa tête une espèce d'ouragan incontrôlable. Finalement, il trouva la force d'articuler:

—Tout cela est tellement subit, tellement imprévisible! Je ne sais plus quoi penser, ni comment réagir dans une telle situation. Tout était pourtant si clair entre nous, Élaine...

En disant cela, il se leva et vint s'asseoir près d'elle. Puis, après l'avoir embrassée sur le front, il lui confia, les mains appuyées sur le bord de la table:

—Élaine, je te défends de t'accuser de quoi que ce soit. Je suis aussi responsable que toi de tout ce qui nous arrive. Moi aussi, je t'aime profondément. En ce moment, je prends conscience combien tu es déchirée dans ta chair et dans ton cœur. Je ne sais plus ce qu'il faut penser dans un tel cas. Mais, sois sûre d'une chose. Ce que tu viens de me confier a dû te demander une énorme réserve de courage et de lucidité.

Elle s'essuya doucement les yeux. À présent, elle se sentait soulagée. En regardant son compagnon, elle ajouta, un sanglot dans la voix...

—Nicolas, il faut que je te dise aussi que je suis allée rencontrer ton père, à Trois-Rivières. Après ton départ pour Vancouver, j'ai longuement réfléchi à ma situation. Mais je devrais plutôt dire à la situation que nous devrions affronter à ton retour et aux responsabilités qui en découleraient obligatoirement. Je voulais me retrouver un peu plus dans toute cette histoire. En compagnie de cet homme, en écoutant la sagesse et la bonté de ses propos découler de son cœur de père, j'ai compris que je ne pouvais plus vivre avec la solitude engendrée par ce secret bien niché en moi, un secret qui m'appelait de toute son âme et qui venait habiter la mienne, en s'enracinant de plus en plus dans ma vie et mes préoccupations quotidiennes. Tu connais ton père. C'est un homme remarquable et de bon conseil. Madeleine et lui m'ont accueillie avec beaucoup de tendresse et d'amour.

Après avoir entendu ce qu'elle venait d'énoncer à propos de sa visite chez son père, lentement, Nicolas se dirigea vers la penderie de l'entrée. Après avoir endossé sa veste de lainage, il regarda de nouveau sa compagne et ajouta simplement:

—Il faut que j'aille prendre l'air. J'ai besoin de réfléchir. De réfléchir profondément.

Il se dirigea vers la porte. Avant d'en franchir le seuil, il se tourna vers elle, en lui avouant:

—Je t'aime, Élaine...

*

Septembre brillait de tous ses feux. La journée avait été particulièrement chaude et humide. Un peu comme un automate, de façon presque inhabituelle, Nicolas avait continué tant bien que mal les menus travaux qu'il avait amorcés la veille autour de la Casa del Mare.

Élaine dormait encore, au moment où il s'était levé sans faire le moindre bruit, de peur de la réveiller. Leur discussion de la veille l'avait profondément remué. Il s'était dit qu'un peu de travail physique ne lui ferait pas grand tort, au contraire.

Il avait regardé tendrement sa compagne, avant de descendre à l'étage pour faire un brin de toilette. La lumière somptueuse de ce début de jour se répandait en jeux asymétriques d'ombres et de lumière sur les grandes fenêtres de la façade.

Après avoir avalé un café en vitesse, il avait endossé sa veste de travail, sans prendre le temps de déjeuner. L'appétit n'y était pas. Puis il s'était rendu à son atelier de rangement, situé au fond de la cour arrière.

Nicolas Racine, cet homme sûr de lui, habitué à des prises de décisions rapides, à des confrontations corsées, ne se reconnaissait plus. Leur situation présente l'avait sonné. Il sentait que toute la force de persuasion dont il pouvait faire preuve habituellement, il ne la retrouvait plus. Maintenant, il avait l'impression qu'un ressort s'était soudainement détendu. Il avait tellement cru qu'une pareille éventualité ne se produirait jamais, que c'était une affaire bâclée, réglée une fois pour toutes, comme on transige une affaire ou un contrat. Il sentait sa vie basculer, sans qu'il puisse en prévoir les impacts possibles.

Depuis deux jours, il tentait, tant bien que mal, d'assumer cette co-responsabilité avec courage. Mais il avait plutôt conscience de ressembler étrangement à un coureur de marathon en fin de parcours, qui voudrait bien s'arrêter, mais qui sait fort pertinemment que, s'il prend ne serait-ce que le moindre moment de repos, il lui sera bien difficile de repartir.

—Et pourtant, j'aurais toutes les raisons de me réjouir, de me rapprocher davantage de cette femme extraordinaire qui partage tout avec tant d'amour. Que se passe-t-il donc pour que la vie me noue si soudainement le cœur?

Cette pensée tournoyait constamment dans son esprit fatigué. Il ramassa machinalement quelques clous qu'il déposa dans un bocal de verre.

— Ma vie... Je ne pourrais si bien dire, maintenant. Et celle de cet enfant, est-ce que tu y as pensé? Ou bien, Nicolas, serait-ce plutôt que tu songes à l'éliminer de la course, qu'un avortement propre, aseptisé, exécuté dans les règles et accepté mutuellement viendrait clore le débat, que tout redeviendrait comme avant? Serait-ce que notre petit bonheur tranquille, fabriqué selon nos normes, que nous avons bien voulu installer dans notre cheminement de couple, ne possède pas ou n'a plus d'assises assez solides pour résister aux tempêtes soudaines?

Sans grand intérêt, il continuait à ranger les outils épars sur la table métallique, accolée au mur de l'atelier.

—J'ai le sentiment de vivre un rêve éveillé, de traverser un monde que je croyais bien tenir en mains, pour pénétrer dans un autre qui m'est inconnu, en quelque sorte.

En réfléchissant de cette façon, il repensa alors au rêve qu'il avait fait la nuit précédente. L'enfant blondinet aperçu dans l'ascenseur de son hôtel de Vancouver et dont le sourire énigmatique l'avait si fortement impressionné était revenu le hanter. Mais cette fois, au lieu de lui sourire gentiment, l'enfant lui avait carrément tourné le dos, comme si toute communication était devenue impossible entre eux.

—Et si ce rêve revêtait l'image inconsciente de ce que je vis maintenant? Oui, l'image d'un homme à qui la vie sourit abondamment, qui navigue vers le bonheur, sans aucun nuage à l'horizon, *un monde tenu bien en mains.* Puis, tout à coup, sans avertissement préalable, le rêve se serait transformé subitement, comme un ciel se couvre de nuages annonciateurs d'un orage imminent... *comme l'image d'un homme qui pénètre dans un monde inconnu,* où toute communication est inexistante...

Nicolas, les mains appuyées sur la table, la tête penchée en avant, semblait complètement submergé par le flot incessant des pensées qui l'assaillaient, par ce questionnement de vie qu'il avait toujours refoulé... Il n'avait pas osé y faire face, prétextant ne pas avoir le temps, étant toujours envahi par l'appel incessant des affaires et de la réussite à tout prix.

—Et si c'était moi, cet enfant? Ce serait tellement dérisoire si je refusais ce constat pourtant si évident... Nous progressons parfois si lentement quand il s'agit de notre propre conscience. Nous laissons les événements nous guider, tout en voulant récupérer ce qu'il y a de bien et de bon dans les êtres que nous côtoyons quotidiennement. Et... souvent... nous agissons avec tellement d'égoïsme et de désinvolture. Tout nous semble permis. Nous n'avons plus conscience que nous faisons tous partie d'un même voyage. Nous refusons d'accomplir, chacun à notre manière, une partie du chef d'œuvre que nous sommes appelés à devenir, entre vivre et mourir.

Au moment précis où il s'apprêtait à grimper le petit marchepied pour accrocher un bout de tuyau d'arrosage inutilisé, Élaine entra dans la remise. Discrètement, elle vint prendre place sur un petit banc de bois qu'elle affectionnait particulièrement.

Elle lui adressa un pâle sourire. Puis, elle lui dit, en guise d'introduction:

—Eh bien, c'est tout un ménage que tu es en train d'effectuer. Tout va être à sa place, dorénavant. Nous n'aurons plus besoin de chercher.

Ce disant, elle prenait pleinement conscience de la banalité de son intervention. Mais, en somme, dans les circonstances, cela suffisait. Tout de même, elle crût bon de se raviser, de rectifier ses propos et d'amorcer une conversation un peu plus sereine.

—Si seulement nous pouvions procéder ainsi pour mettre de l'ordre dans nos vies, comme ce serait facile! Viens... Viens t'asseoir près de moi, Nicolas. Ce petit banc est bien assez large pour nous deux. Viens... J'ai tellement besoin de te sentir proche de moi en ce moment...

Debout, un peu décontenancé par son invitation, il la regarda attentivement. Il se sentait envahi par une envie folle de la prendre dans ses bras et de la serrer contre lui.

Il descendit du marchepied. Elle se leva et lui tendit les bras. Il l'embrassa tendrement. Puis, dans une longue étreinte, il la garda tout contre lui, un bon moment. Sous son chandail écossais, il sentait sa poitrine se soulever, libre, vivante et indépendante. Il aurait voulu, à cet instant précis, figer ce moment dans le temps et l'espace, sans se formaliser de graves questions existentielles. En somme, être heureux, tout simplement. Plus rien n'avait d'importance à ses yeux maintenant: Élaine se tenait là, blottie contre lui, avec la lumière qui chatoyait dans sa chevelure blonde.

—Si le temps pouvait s'arrêter, je crois que je lui demanderais de transformer ce moment éphémère en une fraction d'éternité, lui chuchota-t-il, le cœur battant la chamade.

—Monsieur est poète, à ce que je vois, ajouta-t-elle, en s'assoyant. Ses yeux verts pailletés s'étaient fixés sur lui. Elle désirait l'en imprégner et lui faire comprendre qu'il leur fallait assumer, sans toutefois verser dans de lourds silences, ce qui advenait désormais dans leur parcours de vie. Après tout, il s'agissait d'une période un peu houleuse. Mais, elle lui apparaissait tellement enrichissante. Cependant, le doute et l'incertitude viendraient sûrement brouiller leurs pistes de réflexion, comme une météo changeante. Mais, aux tréfonds d'elle-même, elle demeurait convaincue que tout s'arrangerait, que tout s'arrange toujours avec du temps et de la patience. Mais, encore, leur fallait-il admettre que le moment de décision et d'acceptation de leur part les emporterait irrémédiablement vers une réalité bien concrète: un enfant vivait dans son ventre et entrait définitivement dans la course.

—Le ménage de l'atelier peut attendre, Nicolas. Viens... Il fait tellement beau! Allons nous asseoir au bout du quai. Tu veux bien?

*

Le repas du soir avait été passablement frugal: une omelette de campagne, quelques petits légumes. Mais surtout, peu de paroles. Élaine s'était excusée de bonne heure. Elle sentait le besoin d'assimiler leurs confidences livrées sur le bout du quai et qui s'étaient continuées lors de leur randonnée non prévue sur le bord du fleuve, la main dans la main, porteurs tous les deux d'un même secret, celui d'une vie à coudre ou... à découdre.

Nicolas avait préféré passer un bon moment seul. Assis devant son ordinateur, il semblait plongé dans une profonde réflexion. De temps à autre, ses doigts parcouraient le clavier. Après consultation, le bruit caractéristique de l'imprimante se faisait entendre. Connecté au réseau Internet depuis un bon moment, il sélectionnait de nombreuses pages de documents qui lui semblaient dignes d'intérêt, tout en prenant des notes de temps à autre.

Sur la pile de pages imprimées, une entête en caractère gras titrait:

L'AVORTEMENT

QU'EN EST-IL AU JUSTE?

Fatigué, Nicolas prit quand même le temps de jeter un rapide coup d'œil sur les pages récupérées de diverses sources. Il ne put alors s'empêcher de frissonner, en apercevant le titre évocateur du premier document.

—Quand la vie décide de venir perturber nos consciences, elle n'y va pas de main morte, se dit-il. Je ne pensais jamais devoir en arriver là. Et, pourtant, je ne rêve pas. Je suis bel et bien en train de lire des textes qui traitent de la question de l'avortement. Est-ce possible? Que notre rêve d'espérance de vie et de carrière avorte, lui, passe encore. Mais que l'enfant que nous avons conçu dans un acte d'amour profond puisse être empêché de naître, ça, c'est une toute autre histoire...

Subitement, comme une vague imprévue surgie de nulle part à la recherche d'un rivage où s'échouer, une peur morbide vint se loger dans son âme, comme un effroi soudain, hors de proportion. Pour la première fois, il avait l'impression que sa carapace commençait à prendre l'eau, que son aisance naturelle à bien cerner une question problématique ne possédait plus la même assurance, la même force de persuasion. Par le fait même, sa propre vie risquait fort de prendre d'autres tangentes.

Il sentit alors que ses yeux s'embuaient. Sa fermeté d'homme d'affaires en prenait un fameux coup. Puis, comme pour ajouter une goutte de plus à cet intolérable affolement qui lui serrait la poitrine, avant d'aller rejoindre sa compagne, il prit le temps de lire la première phrase du document, tout en s'essuyant les yeux:

«Décrire le sein maternel, c'est un peu tenter d'expliquer les composantes d'un terreau original où germe la vie. Son influence sera énormément grande, tout au long de la vie à venir. Un terreau de ce genre, où interviendraient des perturbations trop lourdes ou trop denses, pourrait déranger, de façon peut-être irréversible, les relations mère enfant et entraîner chez celui-ci de graves séquelles de développement...»

Les mots dansaient devant ses yeux. Il plaça les documents dans la mallette de l'ordinateur et ferma l'appareil. En accomplissant ce geste matinal, l'un des termes qu'il venait de lire lui trottait particulièrement dans l'esprit: *terreau*... Il se rappela alors une réflexion anodine qu'Élaine lui avait confiée, quelques mois auparavant, au moment où ils avaient aménagé les plates-bandes de fleurs printanières.

—Regarde, Nicolas, tout cela, c'est vivant... C'est extraordinaire, n'est-ce pas! Tout est promesse et vie! C'est merveilleux! Et bien malin qui pourrait tenter de deviner le mystère profond qui se déroule dans les racines de chaque plant. Une chose est précise, cependant. Dans quelques semaines, nous aurons de magnifiques fleurs à admirer. Tout ce qu'elles demandent, c'est de l'eau et de la lumière...

Passablement bouleversé, Nicolas se répéta le même mot, en montant la rejoindre:

«Un *terreau*! Un mot bien simple pourtant...»

*

Au moment où il se glissait entre les draps, elle se réveilla et lui demanda quelle heure il était.

—Une heure quinze. Je m'excuse de t'avoir réveillée.

—Ne t'en fais pas. Tu as travaillé fort, dis donc...

—Ouais, si on peut dire...

—Tu me sembles drôlement préoccupé. Tu es très fatigué, sans doute?

—Élaine, que dirais-tu si, demain, nous allions rendre visite à Jean-Pierre et Madeleine?

—Bien, je... enfin, je veux bien, répondit-elle, un peu surprise de cette décision soudaine.

—Une bonne jasette avec mon père me fera grand bien, répliqua-t-il, en éteignant la petite lampe de veille.

*

Le trajet menant de Notre-Dame de la Rive à Trois-Rivières s'effectua de bonne heure en matinée. Un simple coup de téléphone avait suffi pour confirmer leur venue. Lorsque la berline roula dans l'entrée de la demeure paternelle, Jean-Pierre et Madeleine Racine s'empressèrent de venir à leur rencontre.

—Bonjour, dit Nicolas, en donnant une accolade bien sentie à son père. De son côté, Élaine avait embrassé Madeleine, avec une joie évidente de part et d'autre. Puis les rôles s'inversèrent rapidement.

—Et vous, Élaine, comment allez-vous? demanda le docteur Racine, en lui adressant un clin d'œil, tout en s'approchant d'elle, les bras tendus, en un large geste d'accueil.

—Regardez-le! Dès qu'il aperçoit une belle femme, il joue encore au séducteur fringant. Tu devrais avoir honte à ton âge.

—Avoir honte de quoi? D'embrasser une si belle dame? Ce serait dommage de laisser passer une chance pareille, *à mon âge,* comme tu dis si bien. N'ai-je pas raison, ma chère?

—Vous avez parfaitement raison, ajouta-t-elle, en lui prenant le bras pour pénétrer dans la maison.

*

Le repas venait de prendre fin. Encore une fois, Madeleine Racine s'était surpassée. Elle était tellement heureuse de la présence de ces deux êtres qu'elle affectionnait tant. Sa blanquette de veau avait rallié tous les suffrages.

Le temps s'avérait magnifique en cette mi-septembre. Le soleil diffusait largement sa lumière par les larges fenêtres panoramiques de la salle à manger. Jean-Pierre avait surtout fait les frais de la conversation. Mais, il s'était bien gardé d'aborder la question primordiale qui, il le pressentait, avait principalement motivé leur soudaine venue. Souriant, après avoir chaleureusement remercié l'hôtesse des lieux, il se leva de table. Puis, tout bonnement, il invita son fils à le suivre sur la véranda.

—La température est magnifique. À l'ombre des arbres, nous serons bien à l'aise pour parler un peu de nous deux. Il me semble qu'il s'est passé une éternité depuis la dernière fois que nous en avons eu l'occasion. Viens, amène-toi. La lumière est somptueuse et n'attend que nous, ajouta-t-il, en passant son bras autour des épaules de son fils. Tu sais, nous avons tellement besoin qu'elle nous éclaire, parfois. Il faut donc en profiter...

—C'est bien vrai, que ça fait longtemps. Tu sais que les affaires nous accaparent beaucoup, ainsi que nos nombreux voyages. Élaine et moi, nous avons placé tellement d'espoir dans la réussite de nos carrières... Le temps semble nous filer entre les doigts à une allure de plus en plus accélérée...

Jean-Pierre Racine, ce bon vieux médecin qui avait reçu tant de confidences durant sa vie, soulagé bien des souffrances physiques, guéri de nombreux malades, ne fut pas du tout surpris de cette répartie. À vrai dire, il s'attendait un peu à une telle réflexion de la part de son fils.

Maintenant, l'heure de la vérité toute nue sonnait pour cet homme, assis là près de lui. Un homme qui rentrait tard à la maison, le front chargé de soucis, partagé entre sa compagne, son travail et ses nombreux voyages devenus indispensables pour la bonne marche de la compagnie et son avancement personnel dans ses structures hiérarchiques.

—Alors, Nicolas? Que me vaut l'honneur de ta visite? Si j'en crois votre horaire chargé, nous sommes privilégiés de votre venue chez nous. Les affaires, ça va, il me semble?

Avant de répondre, Nicolas pencha la tête en arrière. Puis, en prenant une profonde inspiration, d'un seul jet, en pesant bien ses mots, il commença à lui confier tout ce qui le tourmentait depuis quelques jours et que sa conscience ne pouvait presque plus supporter.

—Papa, je... enfin, elle te l'a sans doute appris. Élaine attend un enfant. D'une certaine manière, c'est un événement inattendu, une surprise de taille. Elle m'a appris cette nouvelle à mon retour de Vancouver, en fin de semaine. Je... je crois que... Comment te dire? Je n'avais jamais pensé qu'une telle éventualité puisse arriver dans la planification de notre vie commune... Nous avions pourtant tout prévu. Tout semblait réglé comme on ajuste fidèlement une horloge. Et... voilà que cet enfant... enfin, ce début de grossesse vient tout remettre en question. Notre vie est perturbée. Il nous faudra planifier à nouveau, retourner à nos devoirs communs, pour que notre situation redevienne comme avant... Enfin... je veux dire... que tout redevienne normal.

Il s'arrêta de parler. Les mots s'entremêlaient dans son esprit, au moment où il aurait eu bien besoin de toute leur puissance de persuasion. Et maintenant, tout ce qu'il venait de dire à son père lui apparaissait décousu, puéril, sans conviction. Il lui semblait dérisoire de tenter de convaincre son père de l'importance primordiale accordée à leur espérance de carrière, comme un facteur indispensable à leur recherche d'un bonheur équilibré et durable. De plus en plus, il était pleinement conscient que son égoïsme personnel teintait indubitablement ses pensées et imprégnait sa réflexion. Il regarda son père. Déjà, il anticipait le genre de réponse qu'il recevrait.

—Nicolas, permets-moi d'apporter une légère correction à ce que tu viens d'énoncer. Tu as dit: *Élaine attend un enfant.* Ce n'est pas tout à fait juste. Tous les deux, vous attendez un enfant. Au risque de heurter ton adresse d'homme d'affaires, je constate que tu as encore beaucoup à apprendre au sujet du comportement humain. Concevoir un enfant, c'est se commettre en un acte d'amour réciproque, comme une communion intime de deux êtres qui cheminent ensemble vers un idéal de vie à atteindre. Ce n'est pas un plan d'affaires que l'on signe ou un acte isolé que l'on pose pour assouvir une quelconque envie ou un désir passager. À ce titre, je ne crois pas que tes savantes machines informatiques, qui te renvoient, jour après jour, d'interminables colonnes de chiffres et de statistiques, puissent t'apprendre cela. Un enfant qui demande à naître, c'est un ferment d'amour qui scelle la vie et lui permet de s'épanouir pleinement. Voilà pour la leçon de morale.

Le docteur Racine s'arrêta un moment. Puis, en se penchant pour s'appuyer les coudes sur ses genoux, il reprit aussitôt son dialogue.

—Élaine m'a tout raconté lors de sa venue à mon bureau. Ta compagne est une femme extraordinaire, lucide, déterminée et aimante. Sa confiance m'honore beaucoup. Je l'ai accueillie avec une grande tendresse, en tentant de la réconforter et de combler un peu ton absence... C'est pour toi, Nicolas, qu'elle accepte de paraître dans tes nombreux soupers d'affaires, de jouer le jeu fastidieux des coulisses du pouvoir et faciliter ainsi ta réussite et la sienne. Et cette supposée réussite, elle commence à vous gruger l'âme. Vous l'avez pensée, réfléchie et planifiée, comme tu le dis si bien.

Et cela, à un point tel que vous ne désirez aucunement qu'une tierce personne, en l'occurrence cet enfant qui demande à naître puisse venir en entraver la marche. Ou, plutôt, me tromperais-je en affirmant que tu ne désires aucunement sa venue, parce qu'elle te dérange et que tu ne peux supporter cette idée? Élaine, dans tout ce processus, Élaine, la femme que tu aimes, la compagne, l'amante, où se situe-t-elle dans tes priorités de vie, maintenant?

Nicolas encaissait les paroles de vérité prononcées par son père. Même si celui-ci n'avait pas dit un seul mot, il n'aurait eu qu'à observer son visage expressif pour tout comprendre. Ce qu'il venait de lui dire ne constituait aucunement des paroles de reproche, devant une réalité qu'il ne pouvait plus changer à tout le moins. Mais voilà qu'une extrême solution s'offrait à eux. Il leur suffisait seulement d'acquiescer.

Fidèle à lui-même, son père lui avait décrit la réalité concrète de sa vie, sans fioritures inutiles, comme il avait toujours su le faire.: avec droiture et sérénité.

—Papa, tu n'as guère changé tes habitudes, depuis le jour où j'entrais en coup de vent dans ton bureau, entre deux patients, pour te demander un conseil ou une permission. Ton franc-parler m'a toujours étonné. En fait, tu m'étonneras toujours...

—Nicolas, entre ta mère et moi, il n'y a jamais eu de compromis malheureux ni de mensonges. D'un commun accord, notre pacte de vie, nous l'avons bâti sur la vérité toute simple, une vérité étayée par l'amour et un profond attachement mutuel. Tu es né et nous t'avons accueilli avec tellement de tendresse et d'affection que ce jour de ta naissance constitue encore le plus beau cadeau que la vie a pu nous faire. À présent, ta réussite comble nos vieux jours d'une joie sans pareille. Alors, tu comprends que ton désarroi, ou plutôt, votre désarroi, nous touche profondément et nous questionne, de façon presque inquiétante. Comprenons-nous bien, cependant. En aucune manière, je te l'affirme, je ne voudrais que l'égoïsme ou l'égocentrisme, appelle cela comme il te convient, puisse venir s'installer dans vos deux vies, au point d'en gâcher l'essence la plus pure. Nicolas, quelle que soit la décision que vous prendrez de procéder à un possible avortement de cet embryon humain dans le ventre d'Élaine ou de permettre qu'il naisse et vienne embellir votre vie, ta mère et moi, nous la respecterons. Je t'aimerai toujours, quoi qu'il arrive. Cela, tu le sais depuis longtemps...

Il observa une nouvelle pause, avant d'ajouter un point d'orgue à son intervention:

—Vous avez le choix: d'un côté, une vie à venir et à combler. De l'autre, une vie à continuer, une existence commune à poursuivre par les mêmes chemins, en accomplissant les mêmes tâches, en côtoyant les mêmes personnes, les mêmes visages, en entendant les mêmes propos s'échanger dans d'interminables discussions d'affaires. Et vous vous en sortirez, à chaque jour, un peu plus morts de vivre déjà. Nicolas, la vie vaut bien plus que cela! Et la petite Élaine a tant besoin de toi! Viens maintenant. Allons dans mon bureau. J'aimerais bien te suggérer quelques lectures pour t'éclairer. N'ayons pas peur des mots. À l'heure actuelle, nous n'avons plus le droit de tergiverser. Si vous songez à un avortement comme ultime solution, il vous faudra vous documenter sérieusement...

Les épaules un peu plus voûtées, comme si un poids supplémentaire venait subitement de les appesantir, Nicolas se leva et suivit son père qui entrait dans la maison.

—Papa... je... enfin... Merci pour tes conseils. C'est si facile avec toi. Tu devines tout, même nos pensées les plus secrètes... L'avortement... c'est... tellement une grave question que... le seul fait d'y penser me fait frémir. Nous n'en avons pas encore discuté, Élaine et moi...

—Est-ce que vous comptez le faire bientôt?

—Oui... je ... Nicolas bégayait, cherchant ses mots... C'est une éventualité qu'il nous faudra envisager. Je suis tellement partagé entre cette occasion favorable que constitue l'ouverture au marché asiatique qui s'ouvre devant nous, les nombreux voyages qu'il me faudra effectuer en Chine et... la venue possible de... cet enfant... Oui, c'est une question primordiale que nous devrons sérieusement aborder.

*

Jean-Pierre Racine tira un épais bouquin de sa bibliothèque et le présenta à son fils.

—La lecture de ce livre te semblera peut-être rébarbative, à première vue. Mais, promets-moi de le lire et de partager honnêtement tes impressions avec Élaine. Crois-moi, il vous éclairera sur la décision à prendre. Inutile d'ajouter que je souhaite de tout mon cœur que ce soit la bonne...

*

"Les connaissances actuelles concernant la vie fœtale évoluent très rapidement. Il est donc pertinent de penser, en toute connaissance de cause à effet, que la grossesse intra-utérine implique une grande responsabilité des parents, jusqu'au moment de la naissance. Une préparation adéquate s'avère donc plus que nécessaire. Elle devra même devenir intense, en quelque sorte, au fur et à mesure de la grossesse.

Ainsi, une relation saine au sein du couple présagera, pour l'enfant en gestation, de bons parents à venir, qui auront une influence bénéfique sur sa jeune vie en devenir.

Il est donc facile de comprendre que, le cas échéant, l'avortement est contre-indiqué, quand tout parle ainsi de vie à fleurir et à combler. L'avortement est un phénomène issu de l'angoisse qui nous interroge constamment en contredisant la vie. Il génère ainsi une société qui manque d'espoir et qui encourage une peur morbide de l'enfant à naître, comme un être dérangeant considérablement nos nouveaux et modernes lieux de pouvoir: la vie politique, l'argent et les affaires, là où l'amour véritable n'a plus aucun sens ni vérité..."

Nicolas venait de lire ce passage rapidement, en ouvrant au hasard le livre que lui avait suggéré son père. De retour à Notre-Dame de la Rive, d'un commun accord, ils avaient décidé de s'accorder une semaine de repos, histoire de se retrouver enfin, loin du tintamarre de leur profession. De cette façon, ils pourraient faire le point de leur vie commune, en toute tranquillité et espérer prendre les décisions qui s'imposaient.

À présent, Nicolas se rappelait, presque mot pour mot, leur conversation durant le trajet de retour à la Casa del Mare:

—Tout a si soudainement basculé, Élaine... Je ne sais vraiment plus où j'en suis. Fort heureusement, mon entretien avec mon père s'est avéré très positif. C'est un homme de grande sagesse. Je suis bien chanceux qu'il soit encore là pour me conseiller. En sa compagnie, il me semble que tout est si facile et limpide.

—Oui, tu as raison... Heureusement que ton père est là et qu'il nous aime. Nous ressemblons actuellement à deux petits enfants désemparés, en face d'un possible naufrage, en face d'une grave question qui nous bouscule, nous embarrasse drôlement, comme si une catastrophe éminente allait se produire. Et pourtant, la venue d'un enfant dans un couple n'a rien d'une catastrophe. Bien au contraire.

—C'est vrai que nous sommes encore des petits enfants à ses yeux.

—Nicolas, dis-moi franchement, est-ce si difficile de dire oui à la vie?

—Élaine, je t'en prie, il me faut du temps. Tu sais, l'avortement, c'est une solution que nous devons envisager sérieusement. Mais, en même temps, c'est une question tellement remplie de doute et d'incertitude! Plus j'y pense, plus je sens mon esprit s'obscurcir et se torturer, à la seule pensée que je serai responsable de la décision prise, au détriment de l'enfant en toi. Alors, tu comprends qu'il me faut du temps...

Pour la première fois, elle venait d'entendre son compagnon de vie prononcer le mot fatidique. Sa seule évocation la faisait frémir. Elle ferma les yeux un long moment. Elle désirait pénétrer plus avant, bien à l'intérieur de ses sentiments les plus intimes, proches de l'âme de l'enfant niché en elle. Puis, l'instant d'après, en mesurant bien la portée de ses paroles, elle avait ajouté:

—Est-ce là ton désir profond, Nicolas? Tu dois comprendre, j'imagine, que je suis drôlement partie prenante dans tout ce processus de décision. Mais, je voudrais bien que tu saisisses parfaitement. D'une façon ultime, il n'y a personne qui peut se substituer à moi dans une question vitale de cette envergure: pas même le médecin, ni toi, ni aucune autre personne. Je te le répète encore une fois: personne.

D'un ton plus que déterminé, elle avait débité cela d'un seul trait, sans respirer. Elle observa une légère pause, le temps d'abaisser la vitre de la portière pour laisser un peu d'air frais s'engouffrer dans l'auto. Puis, elle poursuivit:

—Nicolas, c'est indéniable que tu sois très concerné par cette question et que tu exiges du temps pour réfléchir. Mais c'est moi, Élaine Ramsey, c'est moi, dans mon être total, présent et futur qui est ici drôlement concerné. Il s'agit de mon corps, de mon âme et de mon existence. C'est de tout cela dont il est question, quand nous parlons d'avortement. C'est moi qui devrai encourir tout ce qui, en principe, pourrait nous relier à la naissance de notre enfant. Quant à l'autre solution, eh bien, je vais t'emprunter les mots que tu m'as dit tout à l'heure, Nicolas, *Il me faut du temps,* moi aussi, figure-toi. Quant à toi, il ne faudrait surtout pas que tu oublies que c'est ton enfant...

Elle s'était arrêtée de parler. Abasourdi par cette profonde réflexion, Nicolas avait cru bon respecter son silence, jusqu'à l'arrivée à la maison. Tout simplement, il lui avait saisi la main, en un geste de douceur, où toute parole devenait inutile.

*

Bien appuyée sur ses oreillers, Élaine lisait distraitement un document qu'elle avait tiré d'un dossier déposé sur son bureau. Une légère brise agitait les feuilles des érables entourant la Casa.

—Comme je les envie, se dit-elle, en tournant la tête légèrement vers la fenêtre. Elles ont encore le cœur à jouer, même si la nuit tombe. Ah, s'il en était ainsi des êtres humains. Comme tout deviendrait plus facile...

Elle ferma momentanément les yeux. Elle désirait tant que cesse la ronde incessante des sentiments qui tournoyaient sans arrêt dans son esprit et son âme. Tout s'entremêlait en elle. Et voilà que, maintenant, il lui semblait que son temps de vivre revêtait une couleur bizarre. Elle se sentait bousculée à un point tel que tout lui apparaissait comme un rendez-vous fixé d'avance, où le pouvoir de changer quoi que ce soit lui échappait presque totalement.

—Si seulement il m'était donné de contempler uniquement la vie devant moi, comme un marin qui voit venir le naufrage pour mieux pouvoir l'éviter... Allons... Le découragement n'a jamais rien réglé. Accroche-toi, Élaine. Tout va s'arranger. Te voilà en face de toi-même, de ta conscience et de la vie qui bat en toi. Il n'y a pas beaucoup de place pour les compromis qui blessent ou qui tuent.

En un geste machinal, elle replaça le document qu'elle était en train de consulter dans son fichier. Puis elle ouvrit le tiroir de sa table de chevet. Elle en tira un livre dont le titre portait un nom évocateur: *L'enfant du cinquième nord.*[1] Au moment où elle commençait sa lecture, Nicolas entra. Il vint s'asseoir sur le bord du lit et se pencha pour l'embrasser.

—Est-ce que ça va? Tes nausées ont-elles disparu?

—Oui, ne t'en fais pas. Tout va bien. Être enceinte, tu sais, ce n'est pas la fin du monde, lui répondit-elle avec un sourire.

—Oui. Enfin Heu... Je suppose, répliqua-t-il, pour se donner une contenance, avant d'ajouter:

—Je prends une douche et je viens te rejoindre. Nous pourrons peut-être continuer notre discussion amorcée lors du souper.

—Oui, peut-être, se contenta-t-elle d'ajouter, en se replongeant dans sa lecture.

*

Nicolas souleva délicatement la couverture et se glissa près de sa compagne. Puis, tout doucement, il la prit dans ses bras, avec une grande tendresse dans ses gestes. Il la serra contre

---

[1] Pierre Billon - L'enfant du cinquième Nord, Éditions du Seuil, Paris, 1982

lui un long moment. Puis, son visage tout près du sien, il lui murmura:

—Élaine, je t'aime profondément. Je te l'ai répété tellement de fois que je me demande bien ce que cela signifie pour nous deux, maintenant que nous sommes confrontés à une prise de décision qui risque fort de changer radicalement le cours de notre vie. Cet amour, on devrait plutôt penser que c'est devenu de la hardiesse. Depuis plusieurs années, nous partageons les secrets de nos pensées communes. Jamais, nous n'avons laissé la faiblesse venir contrecarrer nos buts fixés. De plus, nous avons toujours désiré que la vérité occupe la place d'honneur dans nos rapports.

Il s'arrêta un moment, le temps de s'appuyer sur ses oreillers, avant de poursuivre sur le même ton.

—Lorsque nous sommes revenus de Trois-Rivières, tu m'as affirmé que personne ne pouvait se substituer à toi dans une prise de décision aussi importante. Tu as sans doute remarqué que j'ai respecté ta réflexion. À ce moment précis, je n'ai pas cru bon d'ajouter quoi que ce soit. Mais, ce soir, j'aimerais te poser une question franche, sincère, dénuée de tout sous-entendu malencontreux. Quand le gynécologue suggéré par mon père t'a confirmé ta grossesse, est-ce que l'idée d'un avortement t'a traversé l'esprit comme une solution possible?

Elle le regarda attentivement avant de lui répondre. Sa figure était devenue sérieuse et son regard pénétrant, comme celui qu'elle arborait lors de ses sérieuses rencontres d'affaires. Elle était persuadée que la question de Nicolas était franche et honnête. De toute façon, elle n'avait aucune raison d'en douter.

—À vrai dire, c'est le médecin qui m'en a indiqué la possibilité, en me remettant une série de dépliants traitant de la question. D'ailleurs, je les ai tous lus, de quoi déclencher d'autres genres de nausées, crois-moi. Oui, cette idée m'a traversé l'esprit, comme tu dis. Mais pas plus. C'est une grave question qui me trouble tellement que je crois bien que je n'y serais jamais arrivée toute seule. Non... Vraiment, je n'aurais pas pu poser un tel geste sans t'en parler et en avoir discuté sérieusement. Je t'aime trop pour cela...

Elle l'embrassa sur la main, avant d'ajouter:

—Et voilà! Nous sommes en train de le vivre, ce moment de discussion sérieuse, Nicolas. Que nous arrive-t-il donc, mon cher amour, pour que nous accordions autant d'importance à nos professions, à nos réussites individuelles en affaires, à ces vaines performances qui me semblent ne plus rien signifier, maintenant que l'heure de la vérité sonne à la porte, en remettant tout en question? Dis-moi franchement, lorsque nous serons parvenus à l'âge de Madeleine et de Jean-Pierre, que nous restera-t-il à chérir, sinon des chimères, si nous optons pour une décision aussi draconienne?

Des sanglots pleins la voix, elle lui tourna le dos. Pour aucune raison, elle n'aurait voulu lui avouer sa faiblesse devant une situation aussi sérieuse. À présent, il regrettait presque de lui avoir posé sa question.

—Je suis désolé, Élaine. Je n'aurais pas dû... Je m'excuse, lui dit-il, en lui caressant doucement l'épaule. Tu vas peut-être penser que je me sens indispensable. Mais, tu sais, c'est aussi difficile pour moi. Je suis responsable à part égale de tout ce qui nous arrive. Élaine, qu'adviendra-t-il de cet enfant? Nos deux vies sont entièrement vouées aux affaires et tout retour en arrière est devenu presque impossible. Devrons-nous confier son éducation à des tierces personnes et briller par notre absence dans sa vie? Je t'avoue que ce choix s'avère particulièrement ardu. En ce qui me concerne, le contrat me liant à l'ouverture du marché asiatique est déjà signé. Je ne t'apprends rien. Nous avions déjà longuement discuté et accepté toutes les implications qu'un tel engagement contractuel susciterait. L'Asie, ce n'est pas à la porte. Je présume que tu dois t'en douter un peu. La présence d'un père et d'une mère dans la vie et le développement d'un enfant, c'est un facteur essentiel et indéniable. Nous n'avons pas besoin d'un psychologue pour nous en convaincre. Voilà pourquoi j'ai envisagé la solution de l'avortement comme une possibilité. Et en y réfléchissant, je puis t'assurer qu'à chaque fois, j'ai senti mon cœur se partager en deux, se briser en quelque sorte. Cependant, comprenons-nous bien: j'ai dit: *comme une possibilité* et non comme une solution irrévocable...

Elle l'avait écouté attentivement. Son intervention, quoique attendue, ne lui apprenait rien de nouveau, hormis la petite ouverture qu'elle avait entrevue dans la dernière phrase qu'il avait prononcée. Elle avait tellement tourné et retourné dans sa tête tous les aspects de cette question, que c'était presque devenu une hantise constante.

—Nicolas, je ne sais pratiquement plus quoi penser... Ce que tu viens de m'énoncer, j'y ai déjà réfléchi, figure-toi. Oui, tu as raison. Un enfant a besoin de la présence de ses parents. C'est bien là le nœud de l'histoire. Tout est si bouleversé soudainement: nos valeurs, nos usages et nos relations. Et elles risquent fort d'emprunter d'autres tangentes. Une telle décision doit d'abord pouvoir se justifier vis-à-vis de nous-mêmes, pour que la paix s'installe, une fois le fait accompli ou le geste achevé. Soulager notre conscience, ce n'est guère facile, surtout quand il faut analyser nos sentiments ou, plutôt, les refouler... Refuser de devenir père et mère, renoncer, en somme, à une vie de famille normale, fondée sur l'amour, c'est faire preuve d'un sacré égoïsme. Et lui, l'amour, il ne demande pas la permission pour tuer la vie en nous.

Elle fit une pause. En regardant Nicolas intensément, avec un sourire légèrement ironique, elle enchaîna, en gardant ses yeux rivés aux siens:

—Il faut bien nous l'avouer, Nicolas. Nous sommes deux fieffés égoïstes. Nous sommes là, actuellement, centrés sur nos professions réciproques et nous croyons détenir le monde dans nos mains. C'est bien drôle, quand même! Comme illusion, un magicien ne ferait pas mieux. Mais nous ne sommes pas des magiciens. Au contraire, ce soir, nous avons plutôt l'allure de deux pantins désarticulés.

Les derniers propos d'Élaine avaient eu l'heur de le bouleverser de fond en comble. Il crut bon de lui dire:

—Il commence à se faire tard... Si nous remettions cette discussion à demain. Tu dois être passablement fatiguée!

—Non, Nicolas! Pas demain! Il nous faut prendre une décision dès ce soir! Nous avons déjà trop attendu! L'avortement, ce n'est pas aussi simple qu'un jeu! Même si, à tes yeux, cela pourrait peut-être y ressembler... C'est très facile, un avortement. Un mauvais moment à passer et hop! Tout est accompli. Plus rien... Plus de trace de ce qui fut... Le vide complet... En informatique, on appelle cette fonction: *DELETE*, tu connais? Au risque de me répéter, je me considère comme une femme libre de mes actes. Je suis libre de disposer de mon corps comme je l'entends. Le temps est maintenant venu de prendre une décision. En ce moment précis, je sens que mon corps, est en communication intense avec mon esprit et celui de l'enfant que je porte.

Après s'être assise dans le lit, elle regardait toujours aussi intensivement l'homme qui partageait sa vie et qui l'écoutait religieusement, la tête appuyée sur sa main droite.

—Nicolas, je t'ai aimé dès le premier instant de notre rencontre. Mon amour pour toi ne s'est jamais démenti. Au contraire, les années lui ont permis de fleurir davantage. Nous avons conçu cet enfant dans un extraordinaire élan de passion. L'amour nous a envahi d'une façon tellement puissante qu'il nous a communiqué le même frisson. Je ne t'apprends donc rien en te rappelant que cette responsabilité que nous devons assumer maintenant, c'est la suite logique de nos actes et de notre amour. Je t'aime, Nicolas. C'est pourquoi je trouve la force de te dire que je ne peux me résoudre à poser un geste qui tuera ce temps d'amour qui s'est incarné en moi, il y a plus d'un mois maintenant, grâce à toi...

Elle se pencha pour l'embrasser. Puis, elle enchaîna aussitôt:

—Cet amour sans faille jusqu'à présent, je suis prête à le sacrifier, ainsi que la poursuite de ma profession, si tel est le cas et s'il le faut pour le bonheur de notre enfant. De ton côté, tes décisions t'appartiennent désormais. Rien ne changera en ce qui te concerne. Tu pourras continuer à donner libre cours à tes ambitions, à la bonne marche de ta carrière et à ta réussite. Si nous devions en arriver à opérer de telles brisures entre nous deux, je persiste à croire que jamais nous ne pourrons cesser de nous aimer... Même en tentant de nous éloigner l'un de l'autre, ce nouveau lien de vie que je porte en moi se chargera de nous le rappeler constamment...

Après un léger moment de silence, elle laissa tomber un soupir de soulagement. Nicolas demeura un long moment sans parler. Machinalement, il porta sa main à son front, en se fermant les yeux, comme si ce geste lui permettait de bien préparer sa réplique. Élaine demeurait surprise de sa réaction. Elle anticipait une réponse plus hâtive, plus corsée, en somme. Alors, elle crut bon d'ajouter:

—Je ne sais pas où j'ai pris le courage de te débiter tout cela. Il m'arrive rarement d'être aussi directe dans mes réflexions. D'habitude, je réserve cette façon de procéder pour les heures de bureau. Mais, là, enfin, crois-moi, en toute vérité, honnêteté et amour véritable, j'ai réussi à te confier vraiment ce que tout mon être ressent en ce moment. En aucun cas, je n'ai voulu heurter ta conscience ou tes convictions.

Le regard de Nicolas lui apparaissait changé, étrange même, comme si un intense feu intérieur venait d'embraser son âme.

—Oui, c'est vrai. C'est vrai que tu es une femme courageuse, Élaine Ramsey. De tout mon cœur, je remercie le Ciel de t'avoir placée sur ma route. Et plus particulièrement ce soir. Je comprends encore davantage la pureté qui se dégage de tes sentiments et de ton amour pour moi.

Il la regardait toujours de façon aussi sérieuse, à la manière de quelqu'un qui s'apprête à faire une déclaration d'une extrême importance.

—Oui, c'est vrai... Oui, je suis un homme égoïste. Je l'ai été dans mes choix de vie. Et je t'ai volontairement entraînée aussi sur les mêmes routes... Je l'ai été dans mes gestes et encore plus dans mes pensées, lorsque tu m'as appris que nous attendions un enfant. Et cet égoïsme, cet orgueil démesuré à visage mesquin, je l'ai fait valoir quand j'ai cru que la solution de l'avortement viendrait tout régler, comme s'il s'agissait simplement de claquer les doigts. Comme j'ai été bête, Élaine! Bête comme une machine informatique qui refuse de traiter les données qui lui sont soumises.

Nicolas ne pouvait plus continuer. Il tourna la tête pour ne pas qu'elle se rende compte qu'il était au bord des larmes. La voix plus que tremblante, il trouva le moyen de poursuivre:

—La route de Damas... Tu connais? Moi, depuis quelques jours, je lutte en vain. Je combats pour ne pas être terrassé dans mes valeurs. Et maintenant, elles m'apparaissent plus qu'incertaines. J'ai tellement peur de te perdre, Élaine! J'ai tellement peur de vous décevoir, toi, papa, maman et... Mes données de vie, mes valeurs, sans faire de bruit, tu les as acceptées et analysées. Et, dans un immense élan d'amour, tu es maintenant en mesure de les transmettre à cet être qui est en toi, sans vouloir le rejeter, comme moi je désirais le faire. Et crois-moi, ce n'est pas parce que je n'ai pas essayé. Mais je me suis buté à ton amour indéfectible. Pour donner la vie, tu es prête à sacrifier ta carrière. Comment ai-je pu penser le contraire? Je comprends maintenant pourquoi l'enfant de mon rêve me tournait le dos.

—Qu'est-ce que tu veux dire, Nicolas... Quel enfant?

Nicolas s'était arrêté subitement, comme s'il avait prononcé un mot de trop. Il craignait que ce rappel ne lui fasse de la peine. La gorge serrée par l'émotion, il posa délicatement sa main sur le ventre de sa compagne, avant de continuer.

—La veille de mon départ de Vancouver, j'ai croisé un père et son garçonnet dans l'ascenseur de l'hôtel. L'enfant m'a regardé et m'a gentiment souri, comme s'il voulait m'envoyer un message. Quand l'ascenseur s'est arrêté, il s'est dirigé vers la sortie, Alors, il s'est retourné et il m'a souri de nouveau, en me faisant un salut de la main. Par la suite, lorsque tu m'as appris que tu étais enceinte, après ma longue réflexion, assis seul sur le quai, la question d'un possible avortement est venue me hanter l'esprit. Alors, durant la nuit qui a suivi, j'ai revu le même enfant. Mais en rêve, cette fois.

Nicolas s'arrêta. Visiblement, cette image négative revenait drôlement le hanter. Mais il trouva la force de continuer:

—Cependant, à peu de choses près, l'enfant ne me souriait plus. Il me tournait carrément le dos...

Sa main se promenait encore tout doucement sur son ventre.

—Et si cet enfant, Élaine, c'était moi? Si c'était moi qui vous tournais le dos?

—C'est un rêve, Nicolas, rien de plus...

—Non, Élaine, c'est toi qui as raison. J'ai beau tenter de m'en convaincre. Mais depuis que l'idée d'un avortement a tracé insidieusement son chemin dans ma tête, je n'y arrive simplement pas. Jamais je ne pourrai me décider à rompre ce lien qui m'unit à toi. Non, jamais. Il y a des zones interdites qu'il ne faut pas franchir en nos consciences. Heureusement que tu as été là. Je ne voudrais surtout pas te perdre...

—Oh, moi, tu sais, il y a longtemps que j'ai compris tout cela et que ma décision est prise de laisser la vie s'épanouir en moi. Ce serait un tel fardeau à supporter, s'il fallait que nous attentions à son âme!

—Comme j'ai pu être stupide d'avoir agi de la sorte! Tout ce que j'espère, mon enfant, ajouta-t-il, comme s'il s'adressait au fœtus, c'est que tu puisses un jour me pardonner ma bêtise et accepter de me sourire au lieu de me tourner le dos. Je le mériterais bien, allez...

Émue plus que de raison, sans ajouter quoi que ce soit, Élaine l'embrassa de nouveau en le prenant dans ses bras. Enfin, il pouvait laisser couler ses larmes. La tempête s'apaisait tout doucement, en même temps que la nuit...

DEUXIÈME PARTIE

Vêtue d'un élégant costume de lainage topaze, Élaine Ramsey déambulait d'un pas rapide, en direction de l'aire de stationnement située à proximité du bureau-chef de la compagnie International Life Insurance. La fin de semaine s'annonçait radieuse et elle se sentait libre. Un souffle de vie rassurant l'enveloppait d'une sensation de bien-être et couronnait de façon bénéfique sa semaine de travail et de réunions épuisantes.

Cette splendide journée d'octobre 2005 semblait jouer nonchalamment dans la fluidité du va-et-vient continuel de la métropole et de sa faune urbaine

—Vivement que je me retrouve à Notre-Dame de la Rive avec Jérôme.

Elle éprouvait cette joie anticipée, comme une envie irrépressible de venir se retremper dans ce décor campagnard, où la gamme des couleurs et des brillances lumineuses devait étaler sa lumière en surabondance.

—Ah, ce que j'ai hâte de retrouver mon petit Jérôme!

Soudainement, comme une ondée qui survient sans crier gare, au moment où elle alla prendre place dans sa voiture, elle se remémora ses réflexions de la veille, après avoir embrassé son fils de six ans, en lui souhaitant bonne nuit.

—Comme les années passent... Déjà six ans, en effet...

*

—Vous avez été vaillante et excellente collaboratrice, madame Ramsey. Je vous présente votre fils. Vous l'avez bien mérité.

Ce disant, le docteur Bourdais, de l'hôpital universitaire Notre-Dame, avait placé le nouveau-né dans ses bras. Son enfant! Son fils bien à elle! Elle se souvenait tellement bien. C'était en juin '99. On ne peut oublier un moment de rêve qui devient réel et qui révèle son propre mystère en pleine lumière de la vie qui commence. Une seule zone d'ombre était venue entacher cet instant immuable de bonheur. Nicolas, l'homme de sa vie, l'homme qu'elle aimait, n'était pas là pour se tenir à ses côtés et partager avec elle ce moment inoubliable. Retenu à l'étranger par d'importants contrats à négocier, il n'avait pu la rejoindre à temps pour l'accouchement. Il est vrai que les événements s'étaient bousculés plus rapidement que prévu: contractions rapides, course contre la montre, entrée à l'hôpital. Bref, tout s'était déroulé si vite qu'elle avait eu l'impression que la situation lui échappait et qu'elle ne pouvait plus rien, sinon faire confiance au docteur Bourdais.

À présent, elle se souvenait... Six ans, c'est une première tranche de vie, comme une page où l'on écrit ses pensées les plus secrètes. Au moment précis où elle avait tenu son petit garçon dans ses bras, elle lui avait murmuré doucement, comme on chuchote un secret:

—Tout ce que je te souhaite, mon petit enfant, c'est que ce jour s'inscrive dans ta mémoire et ton âme comme le moment le plus merveilleux de ta vie!

Avant de se laisser aller à un bienfaisant repos, elle avait pu rejoindre Nicolas et lui faire part de la naissance de Jérôme, l'héritier de leur vie commune, cet enfant dont ils n'avaient pas voulu connaître le sexe, lors des premiers examens échographiques.

—J'aurais tant aimé me trouver à tes côtés pour cet événement magnifique. Malheureusement, mon travail...

Elle ne lui avait pas laissé le temps de terminer sa phrase. Aussitôt, elle avait enchaîné:

—Oui, je sais, ton travail... Nicolas, fais un effort, rentre à la maison le plus rapidement possible. Ton fils et moi, nous avons bien besoin de toi.

*

Madame Racicot campait bien sa quarantaine. À la fois ménagère, bonne et gouvernante, cette femme de cœur œuvrait au service du couple Racine-Ramsey depuis le début de leur vie commune. Élaine avait développé une grande connivence avec cette femme de cœur qu'elle considérait de plus en plus comme la grande sœur qu'elle n'avait jamais eue. Forcément, au fil du temps, de confidences en confidences, une grande amitié s'était installée. Julie Racicot possédait un caractère fier, forgée aux épreuves qui avaient jalonné sa route. Son mariage s'était terminé sur un échec rapide et incisif. Après toutes ces années, la page était définitivement tournée. Elle considérait cette humiliation comme un faux pas qu'il ne lui fallait jamais refaire.

Assise à la table de la cuisine, elle venait de mettre fin à son inévitable rituel de 17 heures: une tasse de thé et une mince tranche de gâteau à l'orange. Distraitement, elle jeta un regard par la fenêtre. Le soleil avait déjà baissé les yeux en gorgeant de lumière les érables dans leur éclat automnal.

— Sûrement que madame Ramsey voudra prendre son repas un peu plus tard, se dit-elle, en vérifiant la température de la cuisinière.

De la salle de jeux, un bruit saccadé lui parvenait aux oreilles. Elle crût bon d'aller jeter un coup d'œil, histoire de converser un petit moment avec Jérôme. Il était rentré de l'école un peu plus tôt. Son institutrice devant assister une réunion *"pour des affaires d'école"* lui avait-il dit, en arrivant à la maison.

—Qu'est-ce que tu fais, Jérôme? As-tu faim? Je crois que maman va prendre son repas un peu plus tard, d'après ce qu'elle m'a dit. Il y a des biscuits frais dans la jarre. Tu en veux?

—Oui, madame Julie. Un... Ou bien deux... S'il vous plaît.

—À quoi joues-tu, dis-moi?

—Oh, c'est un jeu informatisé. Il faut que l'on trouve le héros qui est perdu dans un désert. Mais c'est difficile, vous savez. Il y a beaucoup de méchants et des animaux féroces. Il faut les trouver et les éliminer.

—Et Rémi, qu'est-ce qu'il dit, lui?

Amusé, mais le regard un peu plus questionneur que d'habitude, le jeune garçon, dont la chevelure châtaine bouclait légèrement en roulant sur son cou, observa un temps d'arrêt stratégique avant de répondre. Il observa la mine rieuse de cette femme qu'il aimait beaucoup. Il porta ensuite son regard vers Rémi, son ourson de peluche, devenu son inséparable compagnon, son confident secret, la voix de sa conscience.

—Je... ne... sais pas, madame Julie. Des fois, je lui demande quoi faire. Il me répond. Et il ne se trompe jamais. C'est bien drôle, des fois.

—Penses-tu qu'il me répondrait si je lui demandais un conseil? Peut-être que...

—Non, je ne pense pas, lui répondit-il, en riant. Il ne répond qu'à moi, mais pas toujours... Des fois, comme dit maman, il boude.

—Pourquoi il bouderait comme tu dis? Tu es si gentil, Jérôme. Il n'a pas raison de bouder.

—Peut-être que je me trompe, qu'il ne boude pas, mais qu'il trouve mes questions trop...

—Trop difficiles?

—Non, mais peut-être que ça le fatigue aussi. Je ne sais pas. Les biscuits, madame Julie, j'aimerais bien les avoir maintenant.

—Oui, Jérôme. Ferme ton appareil et viens avec moi. Maman ne va pas tarder à rentrer du travail.

En disant cela, Julie Racicot programma le téléviseur pour le journal d'informations du soir. Puis, elle se dirigea ensuite vers la cuisine en compagnie de son jeune ami.

*

Installé confortablement sur le moelleux divan à deux places, avec Rémi tout près de lui, Jérôme feuilletait un livre de bandes dessinées, tout en écoutant distraitement l'animateur du bulletin de nouvelles. Tout à coup, la minute de publicité étant passée, le journaliste présenta le sujet du reportage quotidien. Jérôme prêta alors une oreille attentive à ses propos.

"Notre reportage d'aujourd'hui porte sur un sujet toujours très actuel dans la métropole. Surtout en ce mois d'octobre, où la température de la nuit commence à devenir passablement plus froide et humide. Il s'agit du monde étrange des sans-abri, des itinérants, comme nous les dénommons

si souvent. Notre reporter, Nick Lambert, a rencontré l'un d'eux. Nous vous présentons donc le résultat de sa recherche."

Au moment où le reportage débuta, une musique lente commença à suivre les mouvements de la caméra, qui laissait voir l'image d'une rue délabrée et sombre. Puis, tout à coup, en un contraste frappant, un banc de parc, à l'ombre des grands arbres. Un vieil homme ressemblant à un itinérant, la barbe longue et les cheveux en broussaille y était assis, vêtu d'un vieux paletot. En un lent travelling avant, la caméra s'approcha. Et, image suivante, le même plan, le même banc. Mais, en plus, le journaliste Nick Lambert, le micro bien en main, avait pris place près du vieillard.

—Bonjour monsieur... Mon nom est Nick Lambert. Je suis journaliste pour la télévision. Accepteriez-vous de répondre à quelques questions?

Lentement, le vieillard releva la tête en lui jetant un regard étrange. Tous ses gestes semblaient pénibles. Avant de répondre à son interlocuteur, il appuya doucement son dos voûté au dossier recourbé du banc. Intrigué par la lenteur de ses gestes, Nick Lambert l'observait avec intérêt. Son attention était surtout attirée par les mains de l'homme. Celui-ci n'avait de cesse de les frotter l'une contre l'autre, comme s'il voulait les réchauffer.

—Je vois que vous vous réchauffez les mains. Vous devez avoir un peu froid.

—Que voulez-vous savoir au juste? Non, je ne me réchauffe pas les mains. Je les garde en état d'alerte, c'est différent. Les mains, c'est comme le cœur. Un bon jour, ça s'arrête: l'un de battre, les autres d'aimer... Vous devez convenir avec moi que ce n'est pas de tout repos, des mains qui n'aiment plus... Ou bien qui ne parlent plus quand on les donne ou qu'on les croise... C'est tellement triste des mains qui s'ou-

vrent et donnent l'impression d'être vides... Moi, les miennes, quand je les frotte ainsi, c'est pour les garder bien vivantes. C'est à peu près tout ce qui me reste, l'agilité de mes doigts. Ainsi, quand je regarde mes mains, il me semble que ma vie devient moins triste... moins dure...

En affirmant cela, un sourire empreint d'une grande tristesse avait envahi son regard, en donnant l'impression qu'il venait soudainement d'entrouvrir la porte de ses souvenirs. Le journaliste en profita pour lui demander:

—*Ce que je voudrais savoir, comme vous le dites, c'est que vous me parliez un peu de votre vie, votre parcours, enfin ce qui vous a amené à devenir itinérant ou sans-abri. C'est bien le cas, n'est-ce pas? Vous me semblez un homme au discours passablement bien articulé, si j'en crois ce que vous venez de me dire. Ai-je raison?*

L'homme fouillait maintenant dans la poche de son paletot. L'instant d'après, il en ressortit un petit flacon. Puis, comme s'il s'agissait d'un geste bien normal pour lui, il dévissa le bouchon. Avant de porter la bouteille à ses lèvres, il s'adressa au journaliste:

—*Vous permettez, monsieur. C'est mon carburant, vous comprenez. Si je veux répondre à votre question, il me faut mettre de l'essence. C'est bien important. Sans ce rituel, je ne sais pas si j'aurai le courage de retourner en arrière. Il y a des jours où cela me semble très difficile.*

Il porta la bouteille ses lèvres. D'une seule lampée, il en ingurgita le contenu. Puis, en s'essuyant du revers de sa manche, il poursuivit dans la même veine.

—*Oui, difficile... Ou plutôt, difficile parce que trop douloureux. Vous savez, jeune homme, ce que je vais vous confier, ce n'est pas une bien belle histoire... Voyez où elle m'a conduit. Et pourtant, elle aurait tellement pu le devenir! Si seulement...*

Il s'arrêta momentanément de parler, histoire de s'appuyer sur ses genoux pour la suite de ses confidences. Les mains jointes, la tête penchée, il continua son dialogue, en ouvrant largement les fenêtres de sa mémoire.

—Ah, le mois d'octobre... C'est un beau mois, plein de couleurs. C'est beau, les arbres, le parc et tout ce qui nous entoure. Mais, pour moi, ce mois signifie le commencement de la misère, les files d'attente pour notre pitance et la dure réalité des nuits des refuges, où la souffrance côtoie la folie et la déchéance humaine...

—Une triste réalité, comme vous le mentionnez, qui vous dérange à ce point? Alors, pourquoi avoir choisi ce genre de vie? Avez-vous toujours été un être itinérant comme on est porté à le croire ou que vous l'êtes devenu par accident peut-être?

—Tout à l'heure, vous m'avez affirmé que je vous semblais articulé dans mes propos. Vous avez un peu raison. Je n'ai pas choisi de devenir clochard. On ne fait pas ce genre de choix délibérément. Les circonstances de la vie nous y amènent parfois, sans que l'on puisse s'y objecter de la moindre façon. Les lignes convergentes qui jalonnent notre destin sont déjà tracées quand on ouvre les yeux pour la première fois. Bien malin qui pourrait en changer l'ordre. Dans mon cas, une série de malencontreuses orientations aura suffi à en faire basculer le fragile équilibre...

De plus en plus fasciné par les propos qu'il entendait, Nick Lambert crut bon de glisser:

—Qu'entendez-vous par malencontreuses orientations?

—Oh, ce n'est qu'une façon comme une autre de décrire mon cheminement. Ma mère m'a élevé seule. Je suis d'origine polonaise. Je n'ai jamais connu mon père. Il a quitté ma mère alors que j'étais en bas âge. Je me rappelle vaguement de lui. Ma mère ne m'en parlait jamais. Notre vie ne fut guère facile, croyez-moi. Quand on commence à connaître le chagrin tout enfant, cela laisse des marques indélébiles. Mais le courage à toute épreuve de cette femme extraordinaire nous a

permis de mener quand même une vie décente. Oui une vie simple, dénuée de tout artifice. Malgré tout, elle tenait à ce que je fasse des études, que je me rende le plus loin possible. La musique m'attirait beaucoup. Alors, en travaillant davantage le soir et les fins de semaine, elle parvint à me payer des cours spécialisés en violon, l'instrument que je préférais par-dessus tout. Un jour, voyant que je progressais rapidement, elle m'avait avoué:

—Mon fils, lorsque tu termineras ton cours de musique, moi, je vais te faire un cadeau royal, je te le promets.

À l'évocation de ce souvenir, le vieillard se frotta de nouveau les mains, avant de poursuivre:

— Il n'en fallait pas plus pour que je redouble d'efforts. Et le jour tant attendu du concert de clôture arriva. Dans la salle de concert de l'école de musique, discrète, humble, comme à son habitude, elle m'écoutait, ravie et heureuse, jouer le Caprice de Paganini pour elle. Ce jour-là, c'était son jour de gloire. Elle en avait rêvé depuis si longtemps! Il constituait, en quelque sorte, le couronnement de sa vie. De retour à la maison, elle me prit dans ses bras. Tout en me félicitant chaleureusement, elle me regarda d'une façon particulièrement intense. Puis, d'une voix tremblante d'émotion, elle me déclara:

— Je t'avais promis de te faire un cadeau royal si tu obtenais ton diplôme en musique et en violon. Eh bien, je crois que ce moment est venu. Je dois accomplir ma promesse. Attends-moi ici un moment.

Le vieil homme s'arrêta de nouveau, le temps de toussoter un peu. Puis, il reprit:

—Elle entra dans sa chambre. Je l'entendis ouvrir le grand coffre qui m'était toujours apparu bien mystérieux, puisqu'il lui venait de sa famille. Toujours fermé à clef, je n'en connaissais nullement le contenu. Elle ne l'avait jamais ouvert devant moi. De toute façon, ce coffre représentait pour moi le témoin tangible de ses secrets de famille qu'il me fallait respecter.

De plus en plus intrigué, Nick Lambert écoutait, avec une attention soutenue, toute question lui apparaissant désormais inutile.

—Elle revint de la chambre, portant précieusement dans ses bras un vieil étui de violon. Son sourire éloquent se passait alors de commentaires. Elle me le tendit tout simplement en ajoutant:

—Le voilà, ce cadeau royal, Tomasz. C'est pour toi qu'il a traversé le temps. Il appartient à ma famille depuis de lointaines générations. C'est mon grand-père qui me l'a légué. Ouvre l'étui... C'est un violon signé Vuillaume 1897. C'est un instrument authentique du célèbre luthier français. Avec cet instrument, les portes du conservatoire vont s'ouvrir devant toi. C'est, en quelque sorte, ta carte de visite et l'héritage que je te lègue... Prends-en un soin jaloux. Et fais-moi la promesse solennelle que tu vas y consacrer ta vie et à la musique qui l'habite. Oui, ce violon possède une âme tellement précieuse qu'elle attend beaucoup de toi. Une âme, tu sais, ça vibre, ça bat comme un cœur et ça peut tellement devenir triste, si on arrête d'en prendre soin. Mais, par le biais de la musique, par sa beauté, Tomasz, ton violon la conservera, j'en suis sûre...

L'homme prit un temps d'arrêt, avant de poursuivre. Puis, lentement, il reprit ses propos.

—Après le décès de ma mère, les événements se sont bousculés. J'ai fait le conservatoire de musique. Par la suite, j'ai été engagé comme violoniste au sein d'une formation symphonique...

De nouveau, il s'arrêta de parler, hésitant à poursuivre sur sa lancée. La suite lui semblait bien pénible.

—Qu'est-il arrivé ensuite, monsieur Tomasz?

—Les derniers jours de novembre étaient arrivés. Nous venions de donner le dernier volet de notre concert d'automne. D'un commun accord, mes amis et moi, avions convenus de fêter un peu plus que d'habi-

tude, la fin de nos activités de l'automne et le grand succès remporté par le concert Mendelssohn. Réunis autour de grands pichets de bière, nous n'avions pas vu le temps passer, occupés que nous étions à rire et à festoyer. Nous étions jeunes et pleins de vie. Alors, lorsque le tenancier nous signifia qu'il fallait partir, la fiesta musicale se continua sur le trottoir. Mon «Vuillaume» sous le menton, l'archet allait et venait à un rythme endiablé. Tout à coup, la gigue aidant, je fis un faux pas et glissai sur une plaque de glace noire. En tombant, sans avoir pu en aucune façon le protéger, j'ai écrasé mon violon en morceaux sous mon poids.

Le vieil homme, visiblement très ému au rappel de ce déchirant souvenir, ne pouvait plus parler. Il s'essuya les yeux de ses longs doigts. Puis, prenant son courage à deux mains, il finit par articuler:

—- *J'ai écrasé cet instrument magnifique, comprenez-vous! Je lui ai enlevé sa vie propre, sa musique et sa raison d'être par mon étourderie, par une grave erreur de jeunesse... Ce jour-là, mon violon a perdu son âme... Et moi, je n'ai pu accomplir la promesse que j'avais faite à ma mère d'en devenir le dépositaire. Complètement ébranlé, étourdi par cette malencontreuse chute, je me rappelle en avoir ramassé les morceaux un à un, en les enfermant dans le vieil étui. Mes amis, eux, ne sachant que dire, m'avaient déjà tourné le dos...*

Le vieillard se redressa et inspira profondément.

—*Ce soir là, dans mon modeste appartement de trois pièces, j'ai ouvert la porte du petit meuble contenant quelques bouteilles. Au hasard, j'ai saisi un flacon de rhum... Je crois bien qu'au moment où je l'ai porté à mes lèvres, moi aussi, j'ai perdu mon âme, cette nuit-là...*

Le regard dans le vague, l'itinérant cessa soudainement de parler. Désormais, tout semblait dit, comme une histoire qui s'évanouit.

—*Merci, monsieur Tomasz,* se contenta d'ajouter le journaliste. *Ici, Nick Lambert, pour le journal télévisé de 17 heures. Au revoir et bonne fin de semaine.*

*

Les yeux fixés sur l'écran du téléviseur, Jérôme semblait hypnotisé par ce qu'il venait d'entendre. À première vue, le reportage du journaliste l'avait touché profondément et aiguisé passablement sa précoce curiosité. Durant le visionnement de l'émission, il avait tenu son ourson Rémi contre lui, en l'entourant de ses deux bras, comme s'il voulait le protéger.

—Rémi, monsieur Tomasz, tu l'as entendu toi aussi. Il a dit qu'il a perdu son âme. Oui, il l'a dit. Tu l'as entendu, n'est-ce pas?

L'enfant regardait fixement son ami de peluche, aux yeux vides d'expression, comme s'il eût voulu qu'il lui réponde.

À ce moment, il entendit la porte d'entrée s'ouvrir. D'un seul bond, accompagné de Rémi, il courut vers le hall d'entrée et salua sa mère.

—Bonsoir, mon garçon. La journée a été bonne?
—Oui, mais je suis bien content que tu rentres à la maison. Dis, est-ce qu'on va aller à Notre-Dame de la Rive, demain?

Tout en déposant son manteau dans la penderie, elle lui répondit:

—Je ne sais pas encore. Tout dépendra de Mme Racicot. Hum! Je crois qu'elle nous a mijoté de bons petits plats. Ça sent vraiment bon.

—Oui, et des biscuits aussi...

—Des biscuits... Tiens donc! Tu es un garçon gâté, à ce que je vois, ajouta-t-elle, en passant rapidement sa main dans la chevelure bouclée de l'enfant.

*

La grande fenêtre en saillie donnait sur la façade avant de leur imposante demeure urbaine. Dix-huit heures trente avaient sonné, quand Élaine vint prendre place à la grande table de noyer de la salle à manger, en compagnie de son fils. Sans tarder, Julie Racicot vint déposer la soupière de porcelaine au centre de la table.

—Bon appétit! Ce potage vous fera grand bien. Les soirées d'octobre se font déjà fraîches. Rien de tel pour vous réchauffer, leur suggéra-t-elle, avec un large sourire, tout en s'assoyant à son tour.

D'habitude, elle respectait l'intimité des repas de la petite famille, surtout quand Nicolas séjournait à la maison. Mais, lors de ses absences prolongées, la présence constante de cette vaillante et honnête femme la rassurait. Elle pouvait compter sur sa débrouillardise et sa grande bonté pour Jérôme.

—Alors, qu'y a-t-il sous ce couvercle, demanda-t-elle, en arrondissant les yeux comiquement à l'endroit de son fils. Un potage? Oui. Mais aux légumes verts, aux tomates ou aux pommes de terre? On gage?

—Heu... Jérôme regarda en direction de Julie, moi je dirais vert.

Avant de soulever le couvercle, Élaine ajouta:

—Bien, mais moi, je crois que c'est un potage aux tomates.

Un odorant fumet s'échappa de la soupière. Sa couleur verte et crémeuse semblait fort appétissante.

— J'ai gagné, s'exclama Jérôme. Tu vois, Rémi, j'ai gagné, dit-il, en s'adressant à son ami de peluche, bien installé sur la chaise voisine.

Un peu surprise de cette réaction spontanée à l'endroit de son inséparable ourson, elle le regarda en adressant un clin d'œil amusé mais aussi questionneur vers madame Racicot.

—Jérôme, est-ce que, par hasard, tu aurais observé Julie en train de préparer le potage?

—Oui et non. Ça dépend. Mais ce que je sais, c'est que j'ai vu du brocoli sur le comptoir de la cuisine.

—Tu es passablement diplomate. Mais, surtout ratoureux pour un garçon de ton âge. Oui, d'une certaine façon, on peut dire que tu as misé juste. Tiens, approche ton assiette. Je vais te servir.

—Merci, maman, répliqua-t-il, en attaquant le potage.

*

—Ça va, Julie. Une tasse de thé et quelques biscuits suffiront. Ensuite, Élaine s'adressa à Jérôme, tout en sachant que cette dernière l'entendrait. Elle lui demanda:

—Dis-moi, est-ce qu'ils sont bons au moins les biscuits de Julie? Tu en as mangé, toi?

Il la vit alors revenir avec la théière et un plat de biscuits aux pépites de chocolat. Il observa sa mine amusée. Puis, il promena son regard vers sa mère, ne sachant trop quoi répondre.

—Bien, je...je pense que... oui... Puis, ce disant, il éclata de rire, en compagnie des deux femmes, amusées de ce stratagème.

*

Julie Racicot avait complètement desservi la table. Mais, Élaine, détendue, profitait pleinement de ce moment reposant pour étirer le rituel du thé un peu plus que d'habitude. Quant à Jérôme, il était allé chercher son sac d'écolier et en avait tiré un dessin qu'il avait exécuté pour elle: une maison avec des arbres, un tout petit soleil et des enfants qui jouent. Mais, tout en retrait, assis sur un petit banc, un enfant seul.

—Jérôme, pourquoi il est seul, le petit garçon sur le banc?

—Bien, maman, le petit garçon, il est comme moi. Il est seul pour jouer. Et il n'a pas beaucoup d'amis. Et lui, là, il n'a pas de Rémi pour parler avec, comme moi. Mais, tu sais, je ne pense pas qu'il est triste, le petit garçon. Ça fait que...

En signe d'évidence, Jérôme plongea son regard dans celui de sa mère en haussant les épaules. Puis, en saisissant son animal de peluche, il vint s'asseoir en face d'elle. Alors, en encadrant son visage avec ses deux mains, à brûle-pourpoint, il lui confia:

—Maman, moi là, des fois, je me sens triste un peu... Il hésita un court instant. Moi là, quand je suis triste, est-ce que c'est parce que je l'ai perdue moi aussi, mon âme? Maman, c'est quoi, une âme?

Interloquée et sidérée par une question aussi soudaine, sa mère regarda son fils, étonné par ses propos inattendus.

—Mais voyons, Jérôme, que signifie cette réflexion? Ou cette question? Je ne sais trop... Où as-tu entendu cela?

Elle déposa rapidement le dessin de son fils sur la table. Elle lui tendit les bras. Alors, en lui entourant les épaules, elle le serra affectueusement contre elle et lui confia:

—Qu'est-ce qui se passe, mon petit garçon? On ne pose pas des questions aussi sérieuses à ton âge. Tu es beaucoup trop petit pour avoir... enfin, pour parler ainsi. Une âme d'enfant, c'est comme un souffle qui te permet de vivre, un souffle de vie. Dis-moi, est-ce à l'école que tu as entendu cette réflexion?

—J'ai entendu un vieux monsieur tout à l'heure, à la télévision. Il a raconté qu'un soir il a cassé son violon en glissant sur le trottoir et qu'il avait perdu son âme. Il était triste parce qu'il ne pouvait plus jouer. Et le pire, maman, c'est que le monsieur aussi il a perdu la sienne. C'est ce qu'il a dit.

—Jérôme, un petit garçon plein de vie et intelligent comme toi ne peut pas perdre son âme, voyons! Ton père et moi, nous t'aimons trop pour laisser quiconque te faire de la peine! Ne t'en fais pas. Elle est là, bien au chaud, dans ton cœur et dans ta tête. Voilà pourquoi tu ne peux la perdre sans raison.

Elle l'embrassa tendrement et ajouta:

—Allons, maintenant, Jérôme. Oublie ce vieux monsieur et son violon et tout le reste. Et puis, dorénavant, ne regarde plus ce genre d'émission. Tu es beaucoup trop jeune pour comprendre les sujets que l'on y traite. À l'avenir, tu demanderas conseil à madame Racicot à ce sujet.

Elle le serra un peu plus contre elle et ajouta:

—Va jouer maintenant. L'heure du bain ne tardera pas. Demain, nous allons nous rendre à notre petite Casa. Notre-Dame de la Rive, est-ce que ça te dit quelque chose?

En constatant sa mine réjouie, elle comprit qu'elle avait trouvé la bonne solution pour qu'il oublie tout cela.

—Jérôme, ton dessin est magnifique. C'est un cadeau splendide que tu m'as fait. Et il vient de là, ajouta-t-elle, en lui touchant le creux de la poitrine avec son index.

*

C'est en vain qu'elle avait tenté de lire avant de s'endormir. D'habitude, la lecture lui procurait une détente favorable à la venue du sommeil. Mais cette fois, point de charme magique. Le roman: *« Les dernières moissons du ciel »* était resté ouvert près d'elle. Son regard fixait vaguement le mur d'en face. La question que son fils lui avait posée abruptement lui revenait constamment en mémoire. *«Moi là, quand je suis triste, est-ce que c'est parce que je l'ai perdue moi aussi, mon âme?»*

—Calme-toi, ma fille! Tout est pareil... Tout est exactement pareil dans la vie de ton enfant. Rien n'a changé. C'est toujours le même bambin à l'allure primesautière. Il aime rire. Il illumine ta vie et la tienne dépend maintenant de ce qu'il deviendra, ainsi que celle de Nicolas. Non, tout cela n'est qu'une pensée passagère d'enfant. Rien que cela.

Mais elle avait beau se le répéter, elle n'arrivait quand même pas à s'en convaincre profondément. Cette réflexion lancée par son fils la faisait rentrer en elle-même, presque contre son gré, comme si la vie lui demandait soudainement des comptes.

—Pourquoi cela m'interroge-t-il aussi étrangement? Se pourrait-il que mon enfant ressente quelque chose que je ne comprends pas ou une vérité que je refuse de regarder en face, que j'élude, parce qu'elle est trop dérangeante? *« Il est seul pour jouer. Il n'a pas beaucoup d'amis... »*

Cette explication de son fils avait fusé sans entrave, quand elle avait examiné son dessin. Ce n'était pas un reproche où elle aurait eu à lui fournir une réponse soigneusement préparée d'avance. Non. Venant d'un enfant modèle comme Jérôme, elle s'était plutôt sentie soulagée de la justesse de sa pensée. Cette réflexion avait surgi spontanément, sans calcul... Du moins, elle tentait, tant bien que mal, de s'en convaincre.

—Mais, enfin... Se pourrait-il que... durant tout ce temps où nous avons tellement discuté et tergiversé au sujet de sa venue au monde, sans en avoir pleinement conscience, Jérôme en ait subi les contrecoups? Élaine, arrête! Là, tu vas trop loin! Une question d'enfant, un dessin d'école, quoi de plus normal dans son développement. Il n'y a pas là matière à me gâcher la vie... ou, plutôt, la nuit dans mon cas. À demain, les choses sérieuses.

Elle ferma le livre et le déposa sur sa table de chevet. Julie avait pris soin de préparer des bagages pour l'excursion du lendemain à Notre-Dame de la Rive. Jérôme serait bien content de partir. Tout redeviendrait à la normale. Du moins, tel était son désir. Le bonheur de son fils, c'est tout ce qui comptait pour elle. Non, sur ce point, elle ne lâcherait jamais prise.

*

La maison était toujours plongée dans l'ombre de la nuit lorsqu'elle s'était réveillée. Elle avait consulté son réveil. Il marquait 4 h 12.

—Eh bien, ma vieille, on peut dire que la nuit a été un peu courte...

Elle se frotta les yeux avant d'allumer la lampe de chevet. Après avoir ajusté ses oreillers, elle glissa ses mains sous sa tête. Il était impensable de retrouver un brin de sommeil. Alors, il valait mieux pour elle de profiter du silence de cette fin de nuit et mettre de l'ordre dans ses idées.

—Si seulement Nicolas était là! Il me semble que ce serait plus facile. Mais, qu'importe. Il est encore absent pour plusieurs semaines. Il faudra bien que nos activités habituelles se poursuivent quand même. Aujourd'hui, dès notre arrivée à la maison de campagne, j'irai me promener au bord du fleuve avec Jérôme. Ce sera une occasion rêvée pour lui de faire la récolte de coquillages. D'ailleurs, il en a déjà ramassé une collection assez imposante. Un bon jour, nous en ferons le tri ensemble. De toute façon, je ne suis pas inquiète. Julie sera du voyage. C'est rassurant. Elle aime tellement Jérôme qu'il m'est difficile d'imaginer ce que serait sa vie, sans la présence de cette femme...

Elle en était à ce stade de ses réflexions, lorsqu'elle entendit des petits pas se diriger vers la chambre de bain de l'étage.

—J'ai bien l'impression que je vais bientôt apercevoir une frimousse châtaine pousser la porte.

Elle ne croyait pas si bien dire. Quelques minutes après, lentement, en évitant de faire du bruit, en pyjama rayé, la silhouette de son fils se profila dans l'ouverture de la porte.

—Maman, es-tu réveillée? J'ai vu de la lumière.

Nicolas se frottait les yeux d'une main, tout en maintenant son inséparable Rémi sous son bras.

—Est-ce que je peux venir coucher dans ton lit?
—Bien sûr. Viens.
—Rémi peut-il venir lui aussi?
—Oui. Il y de la place pour trois, lui répondit-elle, en ouvrant la couverture.

L'enfant grimpa prestement et installa Rémi près de lui.

—Bon. Tu es bien, là? Tiens, ajuste ton oreiller. Et Rémi, lui?

Jérôme regarda son compagnon un moment. Puis, il se tourna vers sa mère.

—Oui. Il m'a dit qu'il était un peu gêné, mais qu'il va s'habituer.
—C'est bien. Maintenant, je crois qu'on peut parler un petit moment. As-tu bien dormi Jérôme? Si je te demande cela, c'est que Julie et moi, nous avons décidé de descendre à Notre-Dame de la Rive, comme je te l'ai mentionné, avant que tu ailles au lit. Mais, si tu n'es pas d'accord, on peut rester ici, à Outremont, pour la fin de semaine.

L'air amusé et le regard brillant, il sauta au cou de sa mère.

—Mais non, au contraire... Je veux y aller. Merci, maman. Tu vas voir. On va être bien au bord du fleuve.

En disant cela, il saisit son ourson et le serra contre lui.

—Tu vois, Rémi... Maman, là, c'est comme je te l'ai dit. Elle me fait souvent des surprises comme ça.

Élaine l'écoutait, en fixant sur lui un regard tendre, tout en passant ses doigts dans les cheveux bouclés de l'enfant.

—Maman, veux-tu que je te raconte mon rêve? C'est un drôle de rêve, par exemple.
—Oui, je veux bien, Jérôme.
—Là, mon rêve, il commence comme ça.

Il laissa échapper quelques légers bruits de ses lèvres avant de poursuivre.

—Tu sais, dans mon dessin, là, il y a un grand champ. Mais là, dans mon rêve, c'est le même champ. Il ressemble aux grands champs qu'on voit quand on s'en va à Notre-Dame de la Rive. Puis, il est tout jaune, plein de fleurs jaunes.

Comme si sa réflexion le poussait à donner le plus de détails possibles à sa narration, il tournait machinalement une mèche de ses cheveux entre ses doigts.

—Puis, qu'y a-t-il, à part le champ de fleurs jaunes? C'est très beau, Jérôme, un champ de fleurs de canola.

Les yeux de l'enfant s'éclairèrent. Avec un sourire, il dit à sa mère:

—Oui, c'est ça, maman. Oui, c'est des fleurs de canola. À l'école, avec notre institutrice, on a semé des graines. Comment as-tu deviné?

—Je ne sais trop. C'est toi qui m'as mis sur la piste en me disant que le champ de ton rêve ressemblait à ceux que l'on apercevait, de temps à autre, le long de la route menant à Notre-Dame de la Rive.

—Je te l'ai bien dit, hein, Rémi! Les mamans, elles connaissent toutes les affaires, reprit-il, à l'adresse de l'ourson.

—Continue, Jérôme. J'ai bien hâte de connaître la suite.

L'enfant continuait à tournoyer sa mèche de cheveux, tout en faisant appel à sa mémoire.

—Là, dans le grand champ jaune, il y avait un petit garçon, comme moi. Et là, plus il courait, plus il riait de toutes ses forces. Et ses bras ouverts touchaient les fleurs jaunes. Puis, des fois, on le voyait quasiment pas, parce que les fleurs, bien, elles étaient plus hautes que lui...

Jérôme s'arrêta de parler un moment. Plongé dans ses pensées, il semblait en chercher la suite. Il fronça alors les sourcils et poursuivit sa conversation.

—Quand il a fini de courir, le petit garçon, il a vu une grande image de son père au bout du champ. Pas une vraie image là, mais une...

—Une apparition?

—C'est quoi, maman, une apparition?

— Bien, heu, c'est une sorte d'illusion, une image que l'on voit dans nos rêves.

—Là, je crois bien que c'était ça. Une image, comme une apparition. Mais moi, maman, dans mon rêve, l'image, là, c'était l'image de papa.

—Es-tu bien sûr, Jérôme, que c'était l'image de papa?

—Oui, maman.

Soudainement, l'enfant la regarda étrangement, avant de continuer.

—Là, maman, derrière l'image... heu... l'apparition, j'ai vu une belle lumière blanche... J'ai continué à courir...heu... je veux dire le petit garçon a continué à courir. Puis, là, l'image et la lumière sont partis les deux ensemble. Là, mon rêve a fini. Maman, j'ai demandé à Rémi pourquoi la lumière blanche est partie aussi vite. Y m'a répondu qu'une lumière comme celle-là, c'est bien dur à comprendre.

Plus que stupéfaite, Élaine avait écouté la relation du rêve de son fils avec une grande attention. Cependant, elle se garda bien de laisser paraître l'émotion que ses propos lui avaient causé. Elle prit le temps de bien inspirer, avant de répondre à Jérôme.

—C'est un bien beau rêve que tu as fait. Tu es bien chanceux d'avoir un papa. Moi, je ne le verrai pas avant quelques semaines.

—Toi, maman, est-ce que tu le vois, papa, quand tu rêves?

—Oh, que si, Jérôme! Je le vois souvent. Mais, comme te l'a dit ton ami Rémi, tu es trop jeune encore pour que je te raconte mes rêves de grande personne.

Elle jeta un regard au réveil et ajouta:

—Jérôme, je vais éteindre la veilleuse. Essayons de dormir un peu. Il faut nous préparer pour demain. Nous avons de la route à faire.

—Oui, maman. J'ai hâte de partir pour Notre-Dame de la Rive.

*

L'odeur du pain doré et l'arôme du café montaient déjà à l'étage, quand Élaine s'était levée, tout en considérant que sa nuit avait été un peu trop courte à son goût. Quand à Jérôme, il était déjà descendu retrouver madame Racicot qui commençait toujours sa journée très tôt.

Le déjeuner complété, Élaine s'adressa à son fils:

—Jérôme, allez maintenant. Monte à ta chambre pour faire ta toilette et te préparer. Nous devons partir bientôt si nous voulons profiter de notre journée.

—J'ai placé tes vêtements sur ton bureau, ajouta madame Racicot. Tu auras besoin d'un bon lainage et d'un veston. Ce doit être frais au bord du fleuve.

Prestement, il eut tôt fait de grimper l'escalier. Pensive et les yeux dans le vague, Élaine semblait préoccupée et inquiète. Julie rangeait la vaisselle du déjeuner. Fidèle à ses habitudes, elle avait rejoint la demeure des Racine très tôt, pour préparer adéquatement l'excursion. En voyant sa mine un peu fatiguée, madame Racicot crut bon s'enquérir de ce qui la contraignait.

—Avez-vous passé une bonne nuit, Mme Ramsey? Je vous trouve... Enfin, pardonnez-moi si je suis trop indiscrète, un air plus contrarié que d'habitude.

—Disons que je n'ai pas dormi plus que nécessaire. Heu... Julie... Vous savez que je ne vous cache rien. Je profite de ce moment où nous sommes seules pour vous en glisser un mot. Pour tout vous dire, le comportement de Jérôme m'inquiète drôlement. Au point de vue santé physique, tout va bien. Mais depuis un certain temps, ses réflexions me laissent songeuse. Tenez, à titre d'exemple, hier, pendant que vous prépariez le repas du soir, il m'a dit qu'il avait regardé un reportage diffusé au journal d'information de 17 heures. Après le repas, en me montrant un dessin qu'il avait fait à l'école, il m'a d'abord expliqué ce qu'il signifiait. Ensuite, il m'a raconté ce qu'il avait entendu durant le reportage. J'ai cru comprendre que le journaliste interviewait un clochard qui avait, semble-t-il, cassé son violon et qui affirmait avoir perdu son âme du même coup. Enfin, une histoire de ce genre. Puis, tout à coup, à brûle-pourpoint, il m'a demandé: *«Moi là, quand je suis triste, est-ce que c'est parce que je l'ai perdue moi aussi, mon âme?»* Sur le coup, je voue avoue que je suis restée bouche bée. Que répondre, en effet, à une pareille question de la part d'un enfant?

Élaine se leva pour ranger sa tasse. Debout, les bras croisés, elle enchaîna:

—De plus, Julie, il me semble se confier à Rémi, son ami de peluche. C'est peut-être normal pour un garçon de son âge. Mais là où le phénomène m'inquiète, c'est que Rémi lui dicte des réponses qui ne sont pas banales, je puis vous l'assurer.

—Justement, madame Ramsey, comme d'habitude, peu après son retour de l'école, je lui ai offert des biscuits et un verre de lait. En badinant, je lui ai demandé comment Rémi réagissait à son jeu informatisé. Il m'a répondu qu'il ne savait pas, mais que certaines fois, il lui demandait quoi faire. Alors, celui-ci lui répondait et il ne se trompait jamais...

Élaine écoutait, de plus en plus surprise par ses propos qui semblaient confirmer ce qu'elle redoutait.

—Est-ce qu'il vous a montré le dessin qu'il m'a fait? Je puis vous assurer qu'il est d'une éloquence surprenante. Il y a là matière à me rendre passablement inquiète.

—Oh, vous savez, c'est encore un jeune enfant. Tout cela va passer. Ne vous en faites pas. Quand son père va rentrer de Chine, il aura beaucoup de choses à lui raconter. Il aura vite oublié ce clochard et les confidences de son ourson de peluche, croyez-moi.

—Fasse que Dieu vous entende, Julie! Maintenant, voilà que Jérôme voit l'image de son père dans ses rêves. Non. Je crois que le malaise intérieur de mon fils a des racines beaucoup plus profondes. Vivement, que Nicolas revienne, ajouta-t-elle, avant de prendre la direction de sa chambre.

*

Dès leur arrivée à la Casa, après avoir déposé leurs bagages dans cette maison où ils aimaient tant séjourner, vêtus pour la circonstance, ils n'avaient pas tardé à rejoindre le bord du rivage.

—Il nous faut profiter de ce beau soleil d'octobre, si nous voulons partir à la chasse au trésor, hein, Jérôme?

—Oui, oui, maman... On va peut-être trouver des belles affaires... J'ai hâte!

—J'ai apporté quelques sandwiches et du jus de fruit. Nous trouverons certainement un vieux tronc pour nous asseoir et casser la croûte en cours de route, avait cru bon d'ajouter Julie.

—Oui, sans doute, Julie. Un tel répit de chaleur n'est pas coutumier. C'est peut-être *«l'été des Indiens»* qui s'étire.

Ce terme sembla surprendre Jérôme.

—C'est quoi, maman, *«l'été des Indiens»*?

—C'est une période de l'automne particulièrement clémente, comme aujourd'hui. Il paraît que les Indiens en profitaient pour chasser et amasser des provisions pour l'hiver. Alors, quand il fait chaud à cette période-ci, on dit volontiers que nous sommes en plein *«été des Indiens»*.

En donnant cette explication à son fils, une idée subite traversa son esprit. C'était une occasion rêvée pour elle de faire un test.

—Dis-moi, Jérôme... Pourquoi me demandes-tu pas à Rémi? Il t'expliquera davantage ce que veut dire *«l'été des Indiens»*. En disant cela, Élaine regarda Julie avec un sourire éloquent.

—Bien oui, Jérôme. Pourquoi pas, en effet?

Alternativement, le regard de l'enfant se porta alors de sa mère vers Julie. Il semblait presque ennuyé par leurs suggestions. Alors, il répondit simplement d'une voix neutre:

—Rémi, il ne répond pas à une question comme ça. Rémi, il ne répond qu'à des questions...

Avant de terminer sa phrase, l'enfant se mit à courir car il avait aperçu des coquillages blancs à la ligne des marées.

Élaine se contenta alors de jeter un regard en direction de Julie. Mais, l'instant d'après, comme des cueilleurs de trésors marins, tous trois s'étaient penchés à la recherche du plus beau spécimen.

Le reste de la journée avait été magnifique. L'air frais, les parfums de mer, la quiétude du bord de fleuve s'étaient donné rendez-vous pour en faire une réussite.

Le panier d'osier était maintenant rempli de coquillages, de bouts de bois recourbés et de petits cailloux colorés, rongés par l'eau du fleuve. La récolte avait été excellente. Mais, surtout, Élaine avait l'impression qu'elle avait rendu son fils heureux et content.

*

La chambre de Jérôme occupait une partie de la mezzanine. Un escalier en colimaçon y donnait accès. Ses lambris de bois ajoutaient un cachet bien particulier et une odeur familière. De plus, la grande fenêtre offrait une vue superbe sur le fleuve.

Par contre, celle qu'occupait madame Racicot, quand il lui arrivait de séjourner à la Casa, était un plus exiguë. Quant à la salle de toilette, elle partageait le reste de l'espace. En somme, l'ensemble constituait un endroit de repos rêvé et d'une grande quiétude.

Fatigué de son excursion près du fleuve, l'air du large ayant eu raison de lui, Jérôme bâilla de bonne heure, après le succulent repas que Julie leur avait préparé.

—Oh, oh, je connais un petit garçon qui va monter se coucher tôt, ce soir... N'est-ce pas, Julie?

—Oui, quand on bâille de la sorte, c'est que le sommeil n'est pas loin, n'est-ce pas, monsieur Jérôme, dit-elle, en lui passant la main dans les cheveux.

Pour toute réponse, l'enfant leur adressa un grand sourire où perlait une lumière pure. En hochant la tête, il admettait ainsi que sa chasse aux trésors de mer avait été excellente. En somme, il avait profité pleinement de *«l'été des Indiens».*

*

Que ce soit à Montréal ou à Notre-Dame de la Rive, Élaine s'était toujours fait un devoir sacré d'aller border son fils chaque soir. Elle tenait plus que tout à ce contact privilégié, au moment où le calme de la journée commençait à se donner des airs de repos. Leurs longues absences ne leur permettaient pas beaucoup de vivre ce moment de grâce ensemble. Nicolas voyageait de plus en plus en pays étrangers. De son côté, même si elle avait volontairement réduit ses responsabilités au sein de sa firme, elle n'en demeurait pas moins très occupée et appelée à se déplacer assez souvent.

—Maman, est-ce que tu vas me raconter une histoire comme celle d'hier? Tu sais, là, l'histoire du vieux monsieur, lui qui restait tout seul dans la forêt, avec beaucoup d'animaux autour de lui.

—Jérôme, c'est l'heure du bain. Quand tu auras terminé, j'irai te retrouver. Et, si tu sais encore sourire, peut-être que je te raconterai l'histoire du petit garçon qui écoutait la mer dans un coquillage, dit-elle, en lui pinçant délicatement la joue.

—Je vais me dépêcher maman. J'ai hâte.

Tout heureux de cette promesse, Jérôme savait bien que chaque fois que sa mère venait s'asseoir sur le bord de son lit, il lui arrivait de chantonner un refrain, presque toujours avec la même mélodie. Lorsqu'il lui avait demandé où elle avait appris cette chanson, elle lui avait répondu:

—C'est une vieille berceuse, une vieille chanson que ma mère me chantait, à chaque fois qu'elle venait me souhaiter bonne nuit...

Un bon laps de temps s'était écoulé, quand elle l'entendit de nouveau.

—Maman, j'ai fini ma toilette.

—Un petit moment, s'il te plaît. Je donne un dernier coup de main à madame Racicot et je monte te retrouver. Enfile ton pyjama.

—À ce que je vois, vous devrez encore faire preuve d'imagination, ce soir.

—Oh, vous savez, Julie, j'en profite pleinement. Ces moments durent si peu longtemps. J'ai l'impression de plus en plus précise, de me rapprocher davantage de lui, de sa vérité, je dirais même de la pureté de son âme. Cela me réconforte tellement. Plus que tout au monde, je désire qu'il soit heureux. Mais je sais aussi qu'un simple petit rien peut faire osciller la balance.

—Vous avez bien raison. Mais avec tout l'amour dont vous l'entourez, il n'y a pas de raison que tout s'assombrisse. Il faut avoir confiance en l'avenir. Mais, ce soir, je crois que, pour lui, ce qui est important, c'est son histoire. Allez le rejoindre. Je vais finir de ranger.

—Merci, Julie. Tout semble si facile avec vous...

*

—Souvent, Rémi, maman me raconte des histoires avant que je m'endorme. Puis, des fois, elle chante aussi. C'est une vieille berceuse de Mozart.

—Oui, je sais. Elle nous l'a déjà dit. Une vieille berceuse de Mozart.

—Rémi, c'est qui, Mozart?

—Mozart, comment te dire? c'était un génie de la musique. À quatre ans, donc plus jeune que toi, il composait déjà des œuvres.

—Ah! Et la vieille berceuse, c'est lui qui l'a composée?

—Oui, c'est lui qui l'a écrite.

—Tu sais, Rémi, maman aussi m'a expliqué cela, comme tu viens de me le dire. Mais, des fois, aussi, maman me récite des comptines. Aimerais-tu ça, si je lui demandais une comptine quand elle va monter?

—Jérôme, je te l'ai déjà dit, c'est toi qui dois décider. Moi, je ne suis là que pour te conseiller...

*

—Ah, tu es déjà au lit? Je vois que tu es prêt pour ton histoire, n'est-ce pas?

Tout en disant cela, elle jeta un rapide coup d'œil en direction de l'ourson de peluche.

—Et Rémi, lui?

En souriant, le garçonnet serra un peu plus son compagnon de fourrure, tout en répondant à sa mère:

—Maman, Rémi, il ne comprend pas les histoires. Mais, tu sais, il connaît bien des affaires.

Élaine prit alors place près de lui, en s'asseyant sur le bord du lit.

—Eh bien, dans ce cas, Rémi agira comme témoin. Ta di de lam... dit-elle, en chantant. Ce soir, monsieur Jérôme, vous aurez droit à une comptine, histoire de varier un peu. Mais, une comptine qui se joue... Alors, j'espère que tu vas gagner. Tu es prêt?

—Oui, maman. J'suis prêt...

—Bon, à la bonne heure... Étends tes deux mains sur la couverture et écarte les doigts. Garde-les bien ouverts. C'est très important. On commence...

En affichant un air légèrement espiègle, d'un geste précis, en utilisant son index comme marqueur, elle commença sa comptine jeu, en pointant chaque doigt à tour de rôle, dès qu'une syllabe était prononcée.

Pe-tit-cou-teau-d'or-et-d'ar-gent-ta-mèr'-t'ap-pell'-au-bout-du-champ-pour-boir'-un-bol-de-lait-la-sou-ris-bar-bot'-de-dans-pen-dant-un'-heur'-de-temps-va-t'en.

En prononçant les mots: *«va-t-en»,* elle demanda à Jérôme de replier le doigt où la comptine s'était arrêtée et de le garder ainsi jusqu'à la fin.

— Je vois que nous pouvons continuer, Jérôme. N'oublie pas. Il faut garder tes doigts repliés si tu veux savoir lequel va gagner, quand la comptine sera terminée.

Ce disant, elle continua, tout en accélérant le rythme, de façon à ce qu'il ne reste bientôt que l'annulaire droit et le petit doigt gauche non replié. Alors, elle lui demanda de choisir lequel de ces deux doigts demeurerait non replié à la fin du jeu. Intrigué et perplexe tout à la fois, le garçonnet finit par choisir l'annulaire droit.

—Ah, je crois que le moment de vérité vient de sonner, monsieur Jérôme. Nous allons maintenant connaître le gagnant. Prêt? Allons-y...

Rapidement, elle termina la comptine. Comme il fallait s'y attendre, Jérôme sortit vainqueur. Heureux de ce dénouement, il remercia sa mère. En quelque sorte, elle venait de couronner une bien belle journée à Notre-Dame de la Rive.

—Merci, maman pour tout ce qu'on a fait aujourd'hui. C'était drôle, la comptine, hein! Est-ce qu'on va la faire encore?

—Assurément, Jérôme. Surtout si tu continues à être aussi gentil.

—Où est-ce que tu l'as apprise, la comptine, maman?

—Jérôme, les mamans, non seulement peuvent raconter des histoires et chanter des berceuses, mais, elles sont aussi capables de réciter des comptines. C'est maman qui me l'a apprise. Et moi, à mon tour, je te la raconte. Tu sais, Jérôme, tout ce qu'on apprend dans notre vie, ça nous aide à grandir et ça rend notre intelligence encore plus développée. C'est pour cela que tu vas à l'école.

—Est-ce qu'elle était belle comme toi, ta maman?

—Heu... oui, elle était belle... Mais, toi, mon petit coquin, on dirait que ton père a déteint sur toi. Voilà que j'ai deux hommes qui me font des compliments, maintenant, dit-elle, en souriant largement, avant d'embrasser son fils.

—Je t'aime beaucoup, maman!

—Moi de même, Jérôme...

—Gros comme quoi, maman?

—Comme toutes les étoiles du ciel et comme celles que je vois briller dans tes yeux. L'heure est venue de dormir, maintenant.

—Maman, moi, là, est-ce que j'en ai une, une âme?

En entendant cette réflexion, elle ressentit un léger pincement au cœur.

—Mais bien sûr, Jérôme. Je te l'ai déjà dit. Elle est blanche et pure comme de la lumière... Une belle âme de petit garçon intelligent et espiègle. Rassure-toi et ne pense plus à ce genre de choses. Le temps viendra assez vite pour toutes ces questions sérieuses, crois-moi.

En souriant, elle avait ajusté sa couverture. Quant à lui, son sourire avait plutôt l'air d'un bâillement de bon augure. À ses côtés, les yeux hagards, Rémi, son inséparable compagnon de peluche, veillait au grain.

*

Après le départ de sa mère, Jérôme ne put trouver le sommeil tout de suite. Les yeux fixés dans le vague, il tournait lentement une mèche de ses cheveux entre ses doigts, au même rythme où tournoyait aussi, dans sa pensée d'enfant, la dernière phrase de sa mère.

«Le temps viendra assez vite pour toutes ces questions sérieuses, crois-moi».

L'idée lui vint alors d'en glisser un mot à Rémi. Imperturbable, les yeux immobiles, il reposait à ses côtés, bien au chaud sous la couverture.

—Rémi, qu'est-ce qu'elle a voulu dire, maman? Je suis trop jeune pour comprendre?

—Hum... Bien... Euh... Je suis un peu embarrassé par ta question. Par contre, je sais fort bien que tu es un garçon d'une vive intelligence. Ta mère vient tout juste de te l'affirmer. Ton esprit grandit avec toi. Je peux donc t'affirmer que tu es très doué. Encore mieux, tu es plus développé, plus mature que la normalité des enfants de ton âge. Tu poses des questions de petit garçon curieux. Alors, tu comprends... Répondre, c'est parfois difficile pour moi. Je dirais même que c'est un peu... beaucoup... compliqué, quelquefois. Tu sais, je ne suis que la voix de ta conscience. C'est toi qui me guides.

Rémi cessa momentanément de parler. Alors, le garçonnet en profita pour enchaîner:

—Tu trouves que je pose des questions embêtantes de petit garçon trop curieux dans sa conscience, Rémi?

—Non, Jérôme. Ce ne sont pas des questions qui m'embêtent. Tu sais, moi, ça fait longtemps que j'ai tout compris. Non, ce qui me tracasse, c'est la façon dont je dois t'expliquer les choses... .disons plus subtiles...

—C'est quoi, des choses subtiles, Rémi?

—Des choses subtiles, Jérôme, ce sont des choses compliquées, difficiles à comprendre. Tiens, à titre d'exemple: quand ta maman a

récité la comptine tout à l'heure, est-ce que tu t'es rendu compte qu'elle s'était organisée pour que tu gagnes?

—Non, je ne m'en suis pas aperçu.

—*Tu vois. Même avec ton intelligence, la subtilité de son geste t'a échappé. Mais, tu sais, Jérôme, une maman laisse toujours son fils gagner, même si cela s'avère parfois impossible. Mais, il arrive aussi qu'elle le laisse perdre quelquefois. C'est comme ça qu'on apprend la différence entre la victoire et la défaite. Même si, souvent, la défaite peut nous sembler difficile à accepter.*

Jérôme demeurait pensif. Il avait besoin d'un temps d'arrêt pour tout comprendre ce que Rémi venait de lui affirmer. Au bout d'un moment, il s'adressa de nouveau à son confident imaginaire.

—Rémi, est-ce que je peux te poser une question... heu... subtile, une question qui est compliquée et difficile, comme tu viens de m'expliquer?

—*Bien sûr, Jérôme. Je tenterai d'y répondre.*

—Moi, je voudrais bien savoir si j'ai une âme?

—*Eh bien, tu as raison. Elle est subtile, ta question! Sois-en certain, Jérôme, tous les êtres humains, les papas, les mamans, les enfants, chacun d'eux possède une âme. En fait, chaque personne possède une âme. Ta maman vient de te l'affirmer tout à l'heure.*

Jérôme semblait toujours aussi sérieux. Il avait bien saisi la «subtilité» de la réponse, mais il ressentait le besoin de comprendre davantage.

—C'est drôle, hein, Rémi! Mais moi, là, bien... je pense que j'ai perdu la mienne. Des fois, quand je suis triste, je pense que oui...

Il attendait la réaction de Rémi. Elle se laissait désirer.

—Jérôme, il y a un bon bout de temps que j'attendais cette réflexion de ta part. Je t'avoue qu'elle me déconcerte beaucoup. Je ne sais plus que dire! J'ai besoin de réfléchir avant de répondre. Dis-moi, qu'est-ce qui t'incite à penser de la sorte?

—C'est le vieux monsieur à la télé. Tu te rappelles, n'est-ce pas? Il a raconté qu'il avait cassé son violon. Un violon, Rémi, il y a une âme à l'intérieur, pleine de musique. C'est lui qui l'a dit. Et il a dit aussi qu'en même temps, lui aussi avait perdu la sienne, quand il a glissé sur la glace du trottoir et que son violon s'est cassé. C'est là qu'il l'a perdue. Moi, je ne sais pas du tout à quel moment j'ai perdu la mienne. Là, Rémi, quand tu ne seras plus embarrassé par mes réflexions, vas-tu m'aider à la retrouver, mon âme?

—Oui, je te le promets, Jérôme. Maintenant, excuse-moi. Mais je me sens un peu fatigué. Je crois que nous ferions bien de dormir, n'est-ce pas?

—Oui, tu as raison, Rémi. Merci beaucoup et bonne nuit.

*

Élaine s'apprêtait à se mettre en route, en direction de Montréal. L'odeur persistante de la pluie fraîche tombée le matin se mélangeait aux parfums de la terre, après avoir vidé le ciel de ses nuages. À présent, tout respirait la paix.

—C'est bien dommage que nous devions partir, Julie. La journée s'annonce splendide. Viens m'aider, Jérôme. Prends mes clés de voiture, pendant que je dépose les bagages dans la malle.

—Vous n'avez rien oublié, j'espère, madame Ramsey. Tout me semble vérifié. Le système d'alarme est en fonction. Je crois qu'on peut partir.

—Grimpe, Jérôme. Tu as toute la banquette arrière à ta disposition. N'oublie pas d'attacher ta ceinture.

Avec son inséparable Rémi sous le bras, le garçonnet ne tarda pas à s'engouffrer dans la voiture, qui démarra aussitôt.

*

En principe, Élaine ne devait se rendre au bureau que le jour suivant. Elle avait donc toute la journée devant elle pour se préparer, sans trop se presser. De toute façon, tout semblait sous contrôle à son bureau. Son cher Nicolas reviendrait enfin de Shanghai dans quelques semaines tout au plus.

Soudainement, à la pensée de son compagnon absent depuis un laps de temps qui lui semblait maintenant une éternité, elle sentit un soupir monter de sa poitrine,

—*C'est vrai que l'absence de Nicolas commence à me peser lourd sur les épaules et me rend le cœur triste. Je me sens si seule, le soir venu. Je manque ses confidences, ses discussions, son sourire et ses réparties à l'emporte-pièce. C'est désolant et silencieux, tout à la fois.*

Elle conduisait à une allure modérée. Julie se contentait d'observer distraitement le paysage saisonnier, le long de l'autoroute. De temps à autre, elle jetait un coup d'œil vers madame Ramsey.

—Je vous trouve songeuse depuis le départ. Pardonnez-moi mon indiscrétion. Mais, d'habitude, vous...

—Je suis plus bavarde, n'est-ce pas, Julie, ajouta-t-elle, en lui souriant. Rassurez-vous. Tout va bien. Tout est sous contrôle...

—*Oui, tout est sous contrôle ou me semble l'être,* songeait-elle, en reprenant son mutisme.

—*Ah, ce cher Nicolas, comme j'aime l'entendre respirer, la nuit, là, à mes côtés. Et parfois, il lui arrive de gémir doucement, comme s'il se rendait soudainement compte, dans son subconscient, que je l'observe.*

Alors, ce n'est pas étonnant que j'aime cet homme plus que tout au monde.

Elle porta la main à sa nuque. Après s'être frottée énergiquement, elle poursuivit son soliloque.

—*Dommage que ses affaires lui prennent ainsi tout son temps, son énergie et ses forces. Depuis la naissance de Jérôme, non seulement, il n'a pas diminué son travail, mais, au contraire, il en a augmenté considérablement la cadence. J'ai la nette impression qu'il veut à tout prix s'éloigner de son fils, en ignorant presque son existence. Comme il me semble loin déjà ce temps où, certains matins privilégiés, il posait délicatement sa main sur ma hanche, comme s'il désirait que je devine, sans ajouter quoi que ce soit au silence de l'aube, que l'heure était venue de faire l'amour. Comme nous nous sommes aimés ainsi!*

—Ça va, mon petit Jérôme? Et Rémi, lui?

—On va bien, maman. Mais j'ai hâte d'arriver pour trier mes coquillages.

—Madame Ramsey, pendant que j'y pense, il nous faudrait peut-être arrêter quelque part pour nous procurer des légumes frais et du lait. Nous n'en avons plus à la maison.

—Merci de me le rappeler, Julie. Justement, je dois passer un moment au bureau pour y prendre les dossiers de réclamation que je dois présenter demain pour approbation. Comme il s'agit d'un contrat de plusieurs millions de dollars, j'ai grand intérêt à y jeter un coup d'œil. Mais, tout est déjà prêt. Je n'ai qu'à revoir certaines données. Ce ne sera guère long. Nous pourrons arrêter nous procurer les provisions manquantes avant de rentrer.

Après avoir adressé un sourire à Julie, elle redevint songeuse. De nombreuses pensées se bousculaient en vrac dans son esprit.

—*Se pourrait-il que le temps commence à faire son œuvre dans nos vies? Ou bien, serait-ce plutôt l'absence de temps, l'absence de l'ardeur réciproque, où l'habitude commence à s'installer? La vie de Nicolas et la mienne ne constituent désormais qu'une série de tâches ajoutées les unes aux autres, de même que les nombreuses et inévitables obligations sociales. Et l'argent... Toujours plus d'argent! Et puis, tout cela mélangé à une existence nerveuse et extrêmement rapide, faite de cocktails et de dîners fastidieux. Souvent, nous rentrons tard, fatigués... À peine le temps d'un court répit, Nicolas repart en voyage. Et il ne rentre qu'au bout de quelques semaines, quelquefois épuisé et vidé. Alors, il est presque incapable de retrouver le sommeil, complètement perturbé par les fréquents décalages horaire. Alors, nous sous sentons cahotés et obligés de courir pour parer au plus urgent...*

Elle s'étira le dos sur la banquette. Ses réflexions avaient pénétré profondément sa pensée. Elle n'avait pas cru bon de faire le moindre effort pour les empêcher de s'exprimer en toute liberté.

—*Ah, si seulement, j'entendais enfin Nicolas me dire:* «Élaine, personnellement, je ne suis pas pressé. Nous avons le temps»... *Faire l'amour, alors, dire oui à la vie tout simplement, cette belle vie qui, aussi, consiste à réussir bien sûr, mais encore plus à vivre en famille. Comme nous sommes loin de cet idéal. Il me semble que nous nous perdons de plus en plus dans ce labyrinthe moderne que nous avons conçu...*

Elle abaissa légèrement la vitre de l'auto pour rafraîchir l'air ambiant. En s'adressant à son fils, à brûle-pourpoint, elle lui demanda, histoire de se rappeler que lui seul possédait la clé du labyrinthe et de leur bonheur:

—Est-ce que tu m'aimes, Jérôme?

—Bien, çàa, c'est certain, maman. Je t'aime de tout mon cœur. Puis...

—Puis quoi encore, lui répliqua-t-elle, en souriant largement?

—Puis de toute mon âme aussi, si je la...

Élaine n'eut pas le temps de le laisser finir sa phrase. L'affiche verte indiquait la direction du tunnel sous le fleuve. Elle eût tôt fait d'emprunter la voie indiquée vers le centre-ville de Montréal. Mais, avant d'opérer ce manège, elle avait eu le temps de croiser rapidement le regard presque inquiet de madame Racicot.

*

La voiture était maintenant stationnée dans l'aire de parking situé au sous sol de l'édifice de la rue Notre-Dame, la succursale du bureau-chef, où se trouvaient ses bureaux.

—Venez avec moi. Vous pourrez m'attendre dans le hall d'entrée.

—C'est bien, madame Ramsey. Jérôme et moi, nous allons pouvoir en profiter pour organiser notre semaine. N'est-ce pas, Jérôme?

—Oui, madame Racicot. J'ai bien des choses à faire, quand je vais arriver.

—À bientôt. Je ne serai pas bien longtemps à mon bureau.

Elle s'engouffra dans l'ascenseur. Pendant ce temps, Julie Racicot s'était retournée vers le petit garçon pour lui faire la conversation.

—Lorsqu'on arrivera à la maison, je vais t'aider à compléter ta collection de coquillages. Tu veux bien que je t'aide? Dis, tu veux bien, Jérôme?

Elle avait beau insister. En vain. L'attention du garçonnet était attirée ailleurs. Il s'était rapproché de la grande fenêtre pour observer sérieusement un homme courbé, à la chevelure hirsute, portant un long manteau. De l'autre côté de la rue, il se dirigeait lentement vers un banc de rue situé entre deux édifices.

Alors, les yeux grands ouverts, plus que surexcité, il cria presque à sa gouvernante, assise non loin de lui:

—Regardez! Regardez! C'est lui, là bas, madame Racicot, l'homme que j'ai vu à la télé! Vous savez, là, l'homme qui a raconté qu'il avait perdu son âme. C'est lui, j'en suis sûr! Tu en es sûr, toi aussi, hein, Rémi? Tu le vois toi aussi, n'est-ce pas? Ce disant, l'enfant avait saisi l'ourson de peluche pour le hisser vers la fenêtre.

Énervée et surprise par le ton de voix fébrile emprunté par l'enfant, elle regarda alors dans la direction indiquée.

—Mais, non! Tu te trompes, Jérôme! Ce doit sûrement être un vieillard du quartier qui veut se reposer un moment. Calme-toi, maintenant et écoute-moi bien. Si tu veux, on va garder ce que l'on vient de voir comme un secret. Maman est fatiguée. Si on lui raconte cela, elle va le devenir encore plus.

—Mais, c'est lui! J'en suis sûr! Il porte le même manteau!

—C'est un pauvre homme, Jérôme. Oublie ça au plus vite. Viens t'asseoir avec moi.

En quittant la fenêtre, l'enfant la regarda étrangement, tout en ajoutant:

—Madame Julie, il est pauvre, c'est certain. Mais, s'il est pauvre comme ça, c'est peut-être parce qu'il l'a perdue pour vrai son âme... Et peut-être qu'il cherche pour la retrouver?

En affirmant cela, l'enfant aperçut la porte de l'ascenseur s'ouvrir. Sa mère en sortit, en portant une mallette remplie de dossiers.

—Bon, enfin! En route pour la maison, maintenant. Ah, oui, il ne faudrait pas oublier les provisions, dit-elle, en empruntant l'escalier menant à l'aire de stationnement.

Après avoir déverrouillé les portières, elle déposa sa mallette sur la banquette arrière, près du sac à dos de son fils. Il lui adressa un large sourire. Puis, après avoir adressé un regard complice à Julie Racicot, il se mit à genoux sur la banquette. Lorsque l'automobile déboucha sur la rue, il aperçut de nouveau le vieil homme assis sur le banc, la tête penchée vers l'avant, comme s'il était porteur d'une lourde peine...

—Jérôme, assieds-toi et boucle ta ceinture, je te prie...

*

—Comme il fait bon de rentrer à la maison, n'est ce pas, madame Ramsey! Vous devez être passablement harassée, après avoir conduit durant tout ce trajet. En récupérant les bagages de la malle, Julie avait aussi ajouté:

—Mais, ne vous en faites pas. À partir de ce moment, c'est moi qui prends la relève. Tiens, Jérôme. Va porter le sac de provisions dans la cuisine.

—Merci, Julie. Je vous avoue qu'une bonne douche me fera grand bien.

En disant cela, elle saisit son bagage et pénétra dans la maison.

—Quel contraste, mon Dieu, entre la tranquillité de la rue Dunlop et la circulation intense du centre-ville. Nous sommes vraiment privilégiés de pouvoir habiter dans un si beau quartier. Dire que, demain, je reprends le boulot, au milieu de tout le bruit du quartier des affaires. Ah, vivement que Nicolas revienne.

Après avoir déposé sa mallette sur la table de l'entrée, elle monta à l'étage. En pénétrant dans sa chambre, elle ressentit soudainement une étrange impression de vide.

—Tout me semble normal pourtant, se dit-elle, sans grande conviction. Mais d'où me vient cette impression, au juste? Elle avait beau regarder autour d'elle et s'interroger. Tout à coup, elle se rappela le flot de pensées sérieuses qui l'avait drôlement assaillie, durant le trajet de retour.

Assise sur le bord de son lit, elle enleva machinalement ses souliers.

—Oui, demain, le boulot, le bruit, le rendement. Et puis, après? Est-ce vraiment nécessaire? Cette impression d'ennui soudaine est peut-être reliée à tout cela?

Élaine semblait rentrer de plus en plus à l'intérieur d'elle-même. En s'interrogeant ainsi, elle entrevoyait, en quelque sorte, la vraie raison de ce questionnement qui hantait son esprit. Avec Nicolas, elle n'avait jamais osé regarder en face leur réalité de couple. Elle attendait le moment propice, doucement, simplement, afin d'amorcer une bonne discussion franche. Réciproquement, ils sentiraient que leurs âmes se rejoignaient de nouveau, amoureuses, libres et limpides.

—Il nous faudra arrêter de tergiverser et d'éluder cette question. C'est tellement facile de nous excuser dans ce cas, de tout ranger, en invoquant la raison que nous sommes minés par la fatigue et l'anxiété reliées à nos professions.

Nous ne pouvons plus feindre désormais. Jérôme est là. Il a besoin de notre affection et de notre amour, sans restriction aucune. Il ne faudrait surtout pas, mon Dieu, que nos ambitions nous dévorent de plus en plus et qu'elles fassent avorter son développement. Ce serait tellement catastrophique! Non, décidément, le temps est venu d'une franche discussion entre Nicolas et moi.

En soupirant, elle se leva lentement. Après un bref arrêt devant le grand miroir, elle se dirigea vers la chambre de bain. Mais, avant de se dévêtir, elle actionna le robinet de la douche.

*

Bien à l'aise dans sa tenue d'intérieur, elle se versa une tasse de café. Puis, elle ouvrit la jarre de biscuits. Elle en prit quelques-uns et vint s'asseoir au bout de l'îlot central de la cuisine, surmonté d'une immense hotte de cuivre forgé. Quand à Julie, elle avait déjà tout rangé et s'apprêtait à préparer le repas du soir.

—Qu'est-ce que vous allez nous faire déguster ce soir, ma chère Julie?

—Que diriez-vous d'un bon repas de pâtes? À ce temps-ci de l'année, c'est un mets qui ravigote.

—Oui, vous avez raison. De temps à autre, nous avons besoin de forces supplémentaires... Dites-moi, Julie, c'est bien aujourd'hui que le congé pédagogique se termine, n'est-ce pas?

—Oui, c'est bien cela. Du moins, c'est ce que le document que Jérôme nous a rapporté de l'école mentionnait.

—Dans ce cas, demain, je vais prendre le temps de le reconduire.

—Il va être très content. C'est un enfant tellement intelligent! Il mérite toute notre attention.

En entendant sa réflexion, Élaine la regarda intensément. Sans le vouloir, elle venait d'énoncer une grande vérité. Et, dorénavant, elle se devait de ne point l'oublier.

—Oui, vous avez parfaitement raison, Julie. En effet, Jérôme requiert beaucoup d'attention. Je serais même portée à ajouter: de beaucoup d'amour aussi...

Cette dernière lui adressa alors un sourire approbateur, pendant qu'elle déposait sa tasse dans le lave-vaisselle. Ensuite, elle se dirigea vers la salle de séjour familiale. Jérôme avait déjà commencé à trier ses coquillages.

*

—Eh bien, Jérôme, nous avons fait là une jolie cueillette, à ce que je vois.

—Oui, il y en a de toutes les sortes, maman. Il en a même que je n'ai jamais vu.

—Si tu continues à enrichir ta collection de cette façon, il va te falloir bientôt un grand coffre pour ranger tout cela.

—Ça sent la mer, maman... Tiens, sens! C'est vrai, hein!

Elle tendit la main pour prendre le petit coquillage marbré et elle le porta à ses narines. Elle le remit ensuite à son fils, en lui disant:

—Il est petit. Mais il ressemble au gros coquillage de mon histoire. Il y avait un petit garçon comme toi, qui entendait la mer lui parler.

—Qu'est-ce qu'elle lui disait, la mer?

—Elle lui racontait ses aventures. C'était un petit garçon curieux comme toi. Il voulait toujours tout savoir.

Le regard sérieux, il observait attentivement sa mère. À son insu, elle venait de déclencher un éclair soudain dans son esprit.

—Tiens, ce soir, je vais te la raconter, avant que tu t'endormes. Tu verras. Elle est très intéressante.

—Est-ce que tu vas me dire ce que la mer lui a dit, au petit garçon?

—Bien sûr. Mais, en attendant, commence à ranger tes coquillages. Bientôt, ce sera l'heure des bandes dessinées à la télé. Demain, c'est moi qui te reconduirai à l'école. Ça te va?

—Bien, là, maman, tu sais que j'aime toujours quand tu viens me reconduire à l'école. Mais, est-ce que je peux te dire quelque chose?

—Oui, je t'écoute...

—Des fois, là, j'aimerais que papa vienne aussi me reconduire à l'école. Mais je sais bien que c'est difficile. Il est tout le temps parti en voyage. C'est important, maman, les voyages, hein?

—Oui, si on veut, répondit-elle évasivement, le regard posé sur son fils. En lui caressant la tête, elle ajouta:

—Finis de ranger tes coquillages. Je me rends dans la bibliothèque pour vérifier quelques dossiers. Je t'aime beaucoup, mon fils, conclut-elle, en l'embrassant sur le front, avant de se diriger vers son lieu de travail.

*

Contrairement à son habitude, Élaine s'était assise sur le lit de son fils. Elle voulait tenir sa promesse de lui raconter l'histoire du petit garçon qui écoutait la mer dans un coquillage. Elle avait cependant tenu à lui préciser:

—Ce sera moins fatigant de cette façon. Je serai plus à l'aise ainsi pour te raconter cette belle histoire.

—J'ai hâte de savoir... Commence, maman...

—TOC... TOC... TOC... Élaine cogna trois coups sur la table de chevet. Ce geste le fit bien rigoler.

—Bien, pourquoi que tu cognes trois coups comme ça, maman, lui dit-il alors, en riant encore plus fort?

—C'est pour annoncer aux petits garçons que l'histoire commence et qu'ils doivent être attentifs.

—Ah, bon, fit-il, en portant la main à sa bouche.

—TOC... TOC... TOC... Je recommence mon histoire.

—*Le petit Augustin avait toujours été un garçon solitaire. Quant à son père, il avait passé la majeure partie de sa vie sur un bateau de pêche. Un bon jour, une terrible tempête de vent s'éleva. Malheureusement, tout l'équipage se perdit, corps et biens. Jamais plus, on entendit parler d'eux.*

Mais, le lendemain de cette tempête, en courant sur la grève, non loin de leur vieille maison de bois, pour vérifier s'il n'apercevrait pas le bateau de son père, il se rendit compte que la vaste mer avait rejeté de gros coquillages sur le sable. Surpris, il se pencha. Puis, il saisit l'un d'eux au hasard, particulièrement lumineux, paré de toutes les couleurs de l'arc-en-ciel. Intrigué, sans trop savoir pourquoi, l'enfant le porta à son oreille. Là, ô merveille, à son grand étonnement, il entendit clairement le clapotis des vagues caresser doucement son ouïe. Étonné, ne sachant plus quoi penser, il replaça rapidement le coquillage sur son lit de sable, tout en demeurant de plus en plus convaincu que c'était bien le clapotis de la vague qu'il venait d'entendre.

Avec mille précautions, de peur que cette magie ne cesse d'opérer, il saisit de nouveau le mystérieux coquillage. La surface nacrée brillait maintenant de façon encore plus scintillante. Tout doucement, comme on se penche pour accueillir un secret, il colla son oreille dans l'ouverture rosée.

—Bonjour, Augustin... Tu me reconnais, n'est-ce pas? N'aie pas peur! C'est moi, la mer, ton amie, la mer... la vraie mer...

À ce stade de l'histoire, Jérôme regarda sa mère, en fronçant les sourcils, tout en gardant sa mine curieuse.

—Hein, maman! C'était la mer qui parlait au petit garçon?

—Il semble bien que oui, lui répondit-elle, en le fixant droit dans les yeux. Mais, écoutons la suite, tu verras bien.

Elle remarqua alors que Jérôme avait pris grand soin de passer son bras autour de l'ourson Rémi. Avant qu'elle ne reprenne le fil de son histoire, il crut bon d'ajouter:

—C'est une belle histoire, hein, Rémi!

—Bon... Enfin... Continuons, Jérôme, ajouta-t-elle, tout en demeurant perplexe et surprise de sa dernière réflexion.

—Oui, c'est moi, la mer, ton amie. C'est ton papa qui m'envoie vers toi. Il ne veut pas que tu aies de la peine. Alors, il m'a demandé de venir chanter pour toi, dans tes oreilles, dans ton cœur. C'est exactement là que les souvenirs se logent, de même que les plus beaux rêves. Et je sais que tu en as beaucoup, toi, des rêves à réaliser. Conserve-les bien au chaud à l'intérieur de toi. Un jour, tu verras, ils se réaliseront, sois-en sûr...

—Même mes rêves d'aventure, mes rêves d'aller voyager dans le monde, d'aller voir des îles mystérieuses, où volent des oiseaux de mille couleurs?

—Bien sûr, mon petit Augustin. Tout est possible à celui qui croit. Quand la vie nous ouvre ses portes, il ne faut plus hésiter. Il faut y entrer et croire... Je te le répète... Croire que tout est possible.

Comme si elle désirait enrober encore mieux ses propos, la mer berçait l'âme de l'enfant avec le chant de ses vagues douces.

—C'est beau ce que tu chantes...

—Tu aimes cette berceuse? Oui, c'est vrai qu'elle est belle. D'ailleurs, tout est beau, quand on s'arrête pour bien observer ce qui se passe autour de nous.

—Oui, mais moi, madame la mer, je ne suis qu'un petit garçon... C'est compliqué ces choses-là...

—Non, c'est beaucoup moins compliqué que tu ne penses. Je te le répète encore: le secret, c'est de croire en ses rêves et d'en repousser les limites. Même un petit garçon comme toi peut y arriver. Si tu ne me crois pas, demande-le aux mouettes qui nichent dans la falaise. Tu verras bien...

À présent, Augustin, je dois m'en aller voguer de nouveau. Je n'arrête jamais. Mon mouvement est inlassable. Depuis le début de la création du monde, je roule sans arrêt sur les galets, le sable et les goémons. Alors, tu comprends. Plus rien ne m'étonne. Emporte ce coquillage avec toi et conserve-le précieusement. À chaque fois que tu auras de la peine ou bien que tu connaîtras une grande joie, porte-le à ton oreille. Ce sera pour moi un signe et un appel à venir te rejoindre. Sans hésiter, je viendrai au rendez-vous. Mais, il ne faut surtout pas que tu oublies le mot de passe, si tu veux que la magie opère: croire que tout est possible.

Le clapotis des vagues s'estompa complètement. Émerveillé, le cœur léger, l'enfant serra bien fort le coquillage marbré sur son cœur et prit la direction de son humble demeure. Mais, auparavant, il avait envoyé un grand salut de la main aux mouettes de la falaise, dont les ailes largement déployées décrivaient de grands cercles dans l'azur clair du jour...

Souriante, Élaine le regarda tendrement. Son histoire venait de se terminer.

—Eh bien, Jérôme, comment as-tu trouvé mon histoire?

—Heu... Comme c'est beau, maman, lui répondit-il, en levant vers elle ses yeux verts, où perlait un merveilleux contentement. C'est une merveilleuse histoire. Et puis, la mer qui parle, là, on dirait que c'est magique, hein, maman!

—Qu'est-ce que tu as retenu de particulier dans ce petit conte?

Jérôme ne répondit pas tout de suite. Il tournoyait une mèche de ses cheveux entre ses doigts, un geste machinal qu'il répétait chaque fois qu'il devait réfléchir sérieusement. Au bout d'un moment, il lui répondit:

—Maman, tu sais, là, le père d'Augustin, dans le conte, là, est-ce que c'est lui qui a fait parler la mer dans le coquillage?

—Oui, je crois. En fait, je pense qu'il a chargé la mer de parler à son fils à sa place.

—Il est chanceux, Augustin. Son père lui a dit des belles affaires.

—Des belles affaires, dis-tu? Lesquelles, d'après toi, Jérôme?

—Bien, des affaires comme les mots croire... Et il lui a dit que ses rêves étaient bien importants. Mais le plus beau, là, maman, c'est quand la mer lui a dit qu'elle chantait pour lui, parce que son père lui avait demandé de le faire.

L'enfant observa une pause. Puis, au bout d'un moment, il reprit, en tournoyant toujours sa mèche de cheveux.

—Moi, là, maman, j'aimerais ça que papa demande à la mer, tu sais, la mer, là, celle qui passe devant la maison, à Notre-Dame de la Rive, de me chanter des belles affaires de même. Mais, peut-être qu'Augustin, dans le conte, il ne cherchait pas son âme, lui...

Elaine ne put s'empêcher de sursauter en entendant son fils répéter de nouveau cette phrase. Surprise et étonnée encore plus, elle le regarda encore plus sérieusement. À sa manière, de nouveau, il venait de lui embrouiller le cœur avec cette allusion. Le temps de prendre une profonde respiration, elle lui dit alors:

—Jérôme, toi aussi, tu pourras les réaliser, tes rêves. Et tu entendras la mer chanter à tes oreilles, mais à ta manière. Ça, je puis te l'assurer. Maintenant, l'heure est venue de dormir. Bonne nuit, mon petit garçon, ajouta-t-elle, en remontant les couvertures. Elle se hâta un peu plus qu'à l'habitude, car elle craignait qu'il ne se rende compte que des larmes commençaient à perler dans ses yeux.

—Bonne nuit, maman. Rémi te remercie beaucoup pour ta belle histoire. Lui aussi, il a trouvé qu'elle était belle.

*

—C'est vrai, hein, Rémi, que c'était beau, le conte du petit garçon et son gros coquillage.

—Oui. Si on veut. N'oublie pas, Jérôme. Il existe tout de même plusieurs façons d'expliquer les choses.

—Là, Rémi, je ne comprends pas trop ce que tu veux dire.

—*Ce que je veux dire, c'est le mot croire. C'est ce mot qui t'a le plus frappé. C'est un mot de vie. Et la vie, c'est important, Jérôme. Dans l'histoire que ta maman t'a racontée, ce mot est revenu à plusieurs reprises. Le mot âme aussi. On dirait presque que ces deux mots réunis n'en forment qu'un: croire-âme. Qu'en penses-tu. Est-ce que tu comprends un peu plus ce que je veux dire, maintenant?*

—Tout cela est bien compliqué, Rémi. D'habitude, je te comprends tout de suite...

—*Écoute-moi bien, Jérôme. Ce n'est pas par hasard qu'aujourd'hui, tu as aperçu le vieux clochard qui a raconté son histoire au reporter de la télévision, cette histoire qui t'a tellement impressionné. Sois sûr d'une chose: lui, il ne pourra pas envoyer la mer pour te parler dans un coquillage. Mais il t'a bel et bien indiqué le quartier où il se tient d'habitude. À sa manière, il te donne le sens de l'expression du conte de ta mère: croire-âme. Moi, je crois que tu dois continuer à la chercher.*

—Rémi, es-tu bien sûr que je l'ai perdue?

—Bien, je crois que oui. Rappelle-toi ce que la mer a dit au petit Augustin: «Quand la vie nous ouvre ses portes, il ne faut guère hésiter. Il faut y entrer et croire». Peut-être que tu vas encore me dire que c'est difficile à comprendre. Même si tu n'as que six ans, tu peux comprendre cela: je te le répète... «croire que tout est possible». Maintenant, je commence à être fatigué. Et toi, tu dois te rendre à l'école, demain. Allons, il nous faut dormir à présent.

Rémi arborait toujours son allure figée. Quant à Jérôme, avant que le sommeil ne vienne clore ses paupières, il continua d'entendre les mots du conte tournoyer sans cesse dans sa tête.

*

De retour dans sa chambre, Élaine avait pris place sur le bord du lit en saisissant sa tête dans ses mains.

—Mais qu'est-ce qui a bien pu me pousser à raconter cette histoire à Jérôme? Voilà qu'il m'est encore revenu avec cette... réflexion, au sujet de la perte de son âme. C'est devenu presque une fixation chez lui. Je ne sais vraiment plus quoi penser de toutes ces idées qui lui trottent dans la tête. Et que dire de ses références constantes à son ami... heu... imaginaire, ce satané Rémi de peluche.

«Peut-être devrais-je consulter un psychologue spécialisé. Cette idée de recherche d'âme devient de plus en plus une idée fixe. Cela m'inquiète au plus haut point. Et Jérôme est un garçon si intelligent et charmant. Le dessin qu'il m'a fait est révélateur. Peut-être est-ce préférable que j'attende le retour de Nicolas. L'important, c'est de ne pas prendre de décision à la légère.»

Soudain, en un éclair, elle fit claquer ses doigts. Un déclic venait de se produire. Elle crût alors comprendre ce qui se passait dans la tête de son fils.

—Ça y est! Comment se fait-il que je n'y aie pas pensé auparavant? Bien sûr! C'est certainement cela! Un ami imaginaire! Tous les enfants en ont un! Ce doit être ça, sans l'ombre d'un doute! Jérôme compense les absences de son père en se confiant à Rémi l'ourson, son ami imaginaire...

Sans réfléchir davantage, elle dévala l'escalier en vitesse et, rapidement, mit l'ordinateur de bureau en marche. Avec fébrilité, dès que la connexion réseau Internet fut établie, dans l'onglet du fureteur, elle inscrivit les mots suivants: *Les amis imaginaires chez l'enfant.* L'espace d'un clic, une liste de sites possibles, traitant de cette question, s'inscrivit à l'écran. Elle les sélectionna l'un après l'autre, tout en remarquant au passage les grandes lignes caractéristiques de chacun:

«Entre deux et sept ans, en général, les amis imaginaires font leur apparition. La moitié des enfants s'en fabriquent un, fruit de leur vive intelligence, de leur esprit de création et de leur imagination parfois galopante. Ce personnage inventé vient alors meubler leur solitude, combler alors un vide de compagnonnage dans ses jeux

«L'ami imaginaire revêt, aux yeux de l'enfant, une très grande importance. Grâce à lui il va ressentir l'impression qu'on l'aime et qu'il est intelligent et fort. Cela survient surtout quand l'enfant a l'impression d'avoir perdu le sens de sa vie.

«Quand l'enfant arrive à l'âge scolaire, l'ami imaginaire le quitte. Arrivent alors les vrais amis, ses copains et copines de l'école.

«Il faut que les parents, demeurent quand même sur leur garde Si l'enfant démontre plus d'intérêt pour son ami que pour ses vrais

compagnons et compagnes scolaires, une aide psychologique sera alors nécessaire.

«Mais il ne faut pas trop s'en faire. Il faut accepter son ami de bonne foi. Et, si nécessaire, entrer dans le jeu et le laisser participer aux activités familiales. Alors, jouer, parler avec un ami imaginaire est un exercice normal et productif pour l'enfant, qui peut ainsi faire face à son stress quotidien, sans subir trop de dommages.»

Élaine demeura un long moment les yeux fixés sur l'écran, ne sachant plus quoi penser. Les coudes appuyés aux bras de son fauteuil, elle avait placé ses deux index sur sa bouche. Elle avait besoin de réfléchir sérieusement au contenu du document qu'elle venait de consulter.

—Cela semble concorder. Les agissements de Jérôme, ses réflexions, les réponses données par son ami Rémi, pensa-t-elle, après avoir pris connaissance de ces données.

Machinalement, elle éteignit l'appareil. Puis, elle se dirigea vers la cuisine.

—Après tout, je me fais peut-être un peu trop de mouron avec tout cela. Nicolas va m'aider à y voir clair et mettre de l'ordre dans ce questionnement. Ah, si seulement, il était un peu plus présent à la maison, cela faciliterait grandement les choses.

Elle se versa un verre de lait. En s'asseyant à sa place habituelle, au bout de l'îlot, elle continua sa réflexion. Le document informatique contenait une phrase qui avait particulièrement attiré son attention: *«Il faut que les parents demeurent quand même sur leur garde Si l'enfant démontre plus d'intérêt pour son ami que pour ses vrais compagnons et compagnes scolaires, une aide psychologique sera alors nécessaire».*

—Ce qui me chicote le plus, c'est cette réflexion qui revient constamment et qui semble préoccuper Jérôme au plus haut point: la recherche de son âme. On dirait que cela hante son esprit. Si c'était le cas, je crois bien qu'alors, nous aurions un joli problème à régler et un poids affectif très lourd à supporter...

Elle frissonna à la seule pensée que son fils pourrait être plus perturbé qu'elle aurait pu le croire au premier abord. Elle se leva, avala une dernière gorgée, avant de ranger son verre.

—Demain, en reconduisant Jérôme à l'école, je vais faire un petit test. Peut-être que cela m'aidera alors à rassembler des éléments de réponse, se dit-elle, en remontant lentement l'escalier.

«Tout ce que je demande, mon Dieu, c'est de pouvoir trouver le sommeil et me reposer un peu. Demain, le boulot n'attendra pas et posera lui aussi un tas de questions. C'est tellement important, le rendement... Enfin, pensa-t-elle, avec ironie...»

*

—Au revoir, madame Racicot.

—Bonne journée, Jérôme. Et, n'oublie pas. Tu m'as promis un beau dessin.

—Oui, oui, vous allez l'avoir.

Après lui avoir envoyé un salut agité de la main, il prit place sur la banquette avant, en bouclant sa ceinture. Lentement, la voiture descendit l'allée menant à la rue Dunlop.

—À la bonne heure, Jérôme! À nous deux l'école...

—Maman, toi, là, tu devrais plutôt dire: «À nous deux, le bureau, reprit-il, la figure souriante.

—Oui, tu as raison. Mais je crois que, ce matin, je préférerais plutôt l'école. Ainsi, comme toi, j'irais rejoindre mes petits amis. Puis, j'écrirais des lettres et des chiffres. Je ferais des jeux et des dessins. Dis-moi, Jérôme, est-ce que tu en as, des amis? Je veux dire... des petits compagnons et compagnes, à ton école? Tu ne m'en as jamais parlé.

—Bien, heu... oui... enfin... quelques-uns...

—Comment s'appellent-ils?

—Il y a Edgar, Antoine et Annabelle. Les autres enfants, ils ne me parlent presque pas. Ils disent que je pose trop souvent des questions.

—Ces questions, comme tu dis, est-ce que tu les poses à ton institutrice?

—Non, parce que madame Bisaillon, quand je lui pose des questions... heu... des questions trop compliquées, elle me dit souvent: «*Jérôme, tu resteras un moment ici quand la cloche va sonner. On va parler ensemble tous les deux.*» Alors, moi, là, je suis content, parce que madame Bisaillon, elle ne me dit jamais que mes questions sont trop compliquées.

—Eh bien, il faudrait que j'aille la rencontrer cette institutrice que tu aimes tant.

—L'autre jour, maman, elle nous a dit, madame Bisaillon, que nos yeux, là, bien c'était comme un miroir de notre âme. Là, on a tous regardés les yeux des autres amis de la classe, pour voir si on voyait leurs âmes. Puis, là, on a pensé que madame Bisaillon, elle aussi, des fois, elle disait des affaires compliquées.

—Pourquoi cela te paraît-il si compliqué, Jérôme?

—Elle nous a dit tout cela parce qu'Annabelle là, elle est arrivée à l'école un bon matin, ça fait à peu près plusieurs jours. Puis elle portait des lunettes, parce que, de même, elle pourrait lire mieux. C'est là que madame Bisaillon lui a dit que ses lunettes lui faisaient bien, et qu'elles ne cachaient pas ses yeux bleus, parce que les yeux, bien, c'était le miroir de nos âmes.

—Ah, je vois. Et la petite Annabelle, comment a-t-elle réagi à tout cela?

—Bien, Annabelle, là, elle était bien fière. Puis, elle souriait, parce qu'elle était contente que ses lunettes cachaient pas son âme. Maman, madame Bisaillon, elle doit en avoir une grande, parce que ses yeux sont grands et noirs comme ceux de Rémi, quand elle nous regarde, puis parce qu'on est malcommodes, des fois...

En disant cela, il partit d'un grand éclat de rire, un rire franc, sonore, qui eût l'heur d'agir comme un baume pour Élaine. Soulagée, en quelque sorte, elle décida alors de profiter de ce moment unique pour proposer à son fils d'inviter ses trois amis à la maison.

—Dis-moi, Jérôme, est-ce que ça te plairait si j'invitais tes petits amis à venir à la maison? J'aimerais bien la connaître, moi, ta copine Annabelle, de même qu'Antoine et Edgar...

Visiblement ému de cette soudaine proposition, Jérôme ne savait trop quoi répondre.

—Bien, je ne sais pas, maman. Je n'y ai pas pensé. Je ne sais pas s'ils vont vouloir. Ils ne te connaissent pas, eux autres.

—Alors, dans ce cas, Jérôme, nous allons prendre notre temps. Tu leur en parleras et tu pourras me dire ce qu'ils en pensent et si leurs parents seraient d'accord. De mon côté, je dois me rendre à la prochaine rencontre prévue pour les parents, la semaine prochaine. C'est ce que j'ai lu sur les documents que tu as rapportés de l'école. J'aurai alors sûrement l'occasion de rencontrer madame Bisaillon, ainsi que les parents de tes trois amis. Pour fêter l'Halloween, ce serait une occasion magnifique, n'est-ce pas?

—Bien, heu, oui, je crois, maman. Mais avant, j'aimerais... bien... j'aimerais en parler à Rémi.

À ce moment précis, l'auto longeait la cour arrière de l'école Sainte-Catherine. Élaine s'engagea dans l'entrée et stationna un moment devant la grille donnant accès à la cour arrière. En saluant sa mère d'un grand élan de la main, Jérôme ne tarda pas à agripper prestement son sac et franchir la grille d'entrée en courant.

*

La salle de classe de Claire Bisaillon était largement éclairée par les plafonniers fluorescents. De nombreux parents s'étaient rendus assister à cette première réunion pédagogique du semestre scolaire d'automne. Élaine avait tenu à y assister. Elle désirait surtout rencontrer l'institutrice de son fils et, le cas échéant, les parents des trois petits amis de Jérôme. Elle aurait bien aimé que Nicolas l'accompagne. Mais, une semaine encore devait s'écouler avant la fin de son voyage à Shanghai.

—Bonsoir, chers parents. Mon nom est Claire Bisaillon. Je suis l'institutrice titulaire de la classe de première année. Ce soir, nous avons voulu, dans une première étape, vous faire connaître l'univers scolaire, un peu particulier, dans lequel vos enfants vivent, jour après jour, en faisant leur apprentissage. Et ce que nous avons trouvé, comme meilleur moyen, c'est de vous inviter à prendre place aux petits bureaux, là même où vos enfants passent la majeure partie de la semaine. C'est ce qu'on appelle communément *«le lieu physique de l'apprentissage.»* Mais, rassurez-vous. Nous ne sommes ici que pour un moment. La réunion pédagogique se tiendra dans la grande salle de conférence. Voilà donc, en peu de mots...

Tout en écoutant l'institutrice, discrètement, Élaine avait jeté un rapide coup d'œil sur la devanture des petits pupitres, où étaient inscrits les prénoms des élèves. Alors, elle se rendit compte que les bureaux, identifiés aux noms d'Annabelle, Edgar et Antoine, étaient tous occupés par leurs parents.

—Voilà un bon point d'acquis, pensa Élaine. Maintenant, il me faut trouver un prétexte pour les rencontrer à la réunion, de même que madame Bisaillon.

L'institutrice venait tout juste de terminer son mot d'introduction. Immédiatement, elle pria son auditoire de se rendre à la salle de réunion attenante à la bibliothèque. Pendant qu'elle rangeait ses papiers, elle en profita pour l'aborder.

—Bonsoir, madame Bisaillon. Je suis la maman de Jérôme Racine. Mon nom est Élaine Ramsey.
—Bonsoir, madame Ramsey. Je suis bien heureuse de vous rencontrer. Ah, ce cher petit Jérôme! Quel enfant attachant et intelligent!
—-Bien, heu... Je vous remercie de ce compliment. Mais, vous savez, Jérôme aussi vous estime beaucoup. Il semble que vous répondez à ses nombreuses questions et il apprécie beaucoup cela, m'a-t-il dit.

Ce disant, elle avait constaté rapidement que son fils avait bien raison d'avoir été impressionné par les yeux de cette femme. Elle possédait, en effet, un regard noir, profond, habitué à scruter les gens. Un regard qui questionnait constamment, comme s'il avait été conditionné à fouiller l'âme des enfants qu'on lui confiait.

—Justement, votre remarque tombe à point, madame Ramsey. À ce sujet, j'aimerais bien vous rencontrer, après la réunion, si vous en avez le temps, bien sûr...

Son impressionnant regard était toujours rivé au sien. Élaine lui répondit alors:

—J'ai tout mon temps, madame Bisaillon.

—C'est bien. Venez. Je crois que la réunion va bientôt commencer.

*

Incapable de trouver le sommeil, Élaine, les deux mains sous la tête, ne pouvait s'empêcher de repasser sans cesse les derniers événements de la soirée. Tout lui semblait s'être déroulé comme dans un film. D'abord, la rencontre dans le local de classe de son fils. Ensuite, la tenue de la réunion pédagogique. Puis, la rencontre des parents d'Edgar, Antoine et Annabelle avait suivie. Tout s'était très bien passé, jusqu'à ce moment. Mais, lors de sa rencontre avec madame Bisaillon, tout avait basculé. Elle en était sortie ébranlée, un peu comme un boxeur qui vient d'encaisser un bon coup qu'il avait peut-être anticipé, mais qu'il pensait bien pouvoir éviter.

—Madame Ramsey, vous m'avez dit, tout à l'heure, quelques minutes avant la réunion, que Jérôme trouvait que je répondais bien à ses questions. J'en suis flattée, croyez-moi. Mais cela n'a guère d'importance. Ce dont je voudrais vous parler, c'est de son comportement vis-à-vis les autres enfants de la classe. Vous avez sans doute dû remarquer qu'il n'avait pas beaucoup d'amis. Et je présume qu'il ne vous en parle pas souvent à la maison.

—En effet. Je lui en ai glissé un mot. Jérôme est un enfant d'une très grande franchise. Il m'a avoué que ses camarades de classe trouvaient qu'il posait des questions vraiment trop compliquées. Mais, cependant, il m'a aussi appris qu'il s'entendait très bien avec la petite Annabelle, de même qu'avec Edgar et Antoine.. D'ailleurs, je projette de les inviter tous les trois à la maison. Tout à l'heure, j'ai eu l'occasion de rencontrer leurs parents, à la fin de la réunion, lors du petit goûter.

—Hum! Je m'en doutais un peu. Vous savez, madame Ramsey, je ne vous apprends rien en vous affirmant que votre petit garçon est doué d'une intelligence qui se situe au-delà de la moyenne. Son quotient intellectuel, d'après nos tests d'aptitudes, se situe à un niveau supérieur aux autres enfants. Vous comprendrez que les questions qu'il pose sont donc extrêmement sérieuses pour un enfant de cet âge. Ce qui me surprend et que je considère comme un fait curieux, elles convergent toujours vers un point commun regroupant la vie, l'existence, l'âme... Tenez, à titre d'exemple, l'autre jour, je leur ai mentionné un vieux proverbe: *«Les yeux sont le miroir de l'âme.»* Eh bien, sans préavis, sa question a fusé: *«Madame Bisaillon, c'est quoi, une âme?»* Alors, tous ses camarades l'ont regardé et lui ont rétorqué: *«Ah, Jérôme, tes questions sont toujours trop compliquées.»*

—Oui, je sais. Il m'en a parlé, avait-elle ajouté, le cœur alourdi par ce que l'institutrice venait de lui révéler. Pensez-vous qu'il agit ainsi pour attirer votre attention et se montrer, heu... supérieur aux autres?

—Non, je ne crois pas, madame Ramsey. Le malaise de Jérôme me semble plus profond, plus intérieur, si j'ose m'exprimer ainsi. Je m'en suis rendu compte quand j'ai conversé avec lui, après la classe. Doucement, je lui ai demandé pourquoi il posait ce genre de questions, beaucoup trop sérieuses pour son âge. Alors, il a baissé la tête, sans répondre. J'ai respecté son silence. C'est si fragile, un enfant de cet âge, que le moindre choc peut facilement aggraver les choses, vous savez. Au bout d'un moment, je lui ai demandé s'il avait de la peine. Il m'a alors affirmé que oui, en hochant la tête. Puis, tout à coup, il m'a regardé en pleurant et il m'a avoué: *«Madame Bisaillon, moi, là, je pense que je l'ai perdue mon âme. Puis, je veux la retrouver. Mais, je ne sais pas comment faire!»* À ce moment précis, je dois vous avouer que cette confidence de sa part m'a pratiquement fait chavirer le cœur en me bouleversant au plus haut point. Alors, je me suis assise à côté de lui. Tout doucement, en passant mon bras autour de ses épaules, je lui ai répondu: *«Jérôme, une âme d'enfant, c'est tellement beau, c'est tellement pur que moi, madame Bisaillon, là, je puis t'affirmer que tu ne l'as pas perdue, la tienne. Elle est là, à l'intérieur de toi, là, bien nichée dans ton cœur.»* Alors, il s'est essuyé les yeux. Puis, il m'a gentiment remercié, en ajoutant: *«Rémi, lui, il m'a dit que je l'avais perdue, mais qu'il va m'aider pour que je la retrouve.»* Je lui ai demandé qui était Rémi. Il m'a répondu que c'était son ourson de peluche.

Abattue, elle avait écouté religieusement cette femme attentive à ses problèmes, lui dresser un portrait psychologique de son fils, avec autant de précision que de doigté.

—Madame Ramsey, je dois vous dire que j'ai déjà songé à vous appeler à ce sujet. Mais, comme je savais que la réunion pédagogique devait se tenir assez tôt dans la planification de nos activités semestrielles, j'ai préféré attendre un peu, tout en observant attentivement les agissements de Jérôme. Mais, ce soir, je crois que le moment est bien choisi. Je vous conseillerais de songer sérieusement à consulter un psychologue spécialisé dans ce domaine. Croyez-en mon expérience, c'est très important pour l'équilibre de votre enfant. En attendant, vous pouvez compter sur mon entière collaboration. Bonne chance, madame Ramsey. Au fait, je crois qu'il est important de vous mentionner que la petite Annabelle, de même qu'Edgar et Antoine sont trois enfants qui ont de légers troubles d'apprentissage. Je ne sais pas si leurs parents vous en ont parlé. Mais, je dois vous dire aussi que Jérôme les aide énormément dans leur apprentissage. Il n'y a que lui dans la classe qui accepte de faire équipe avec eux. Croyez-moi, votre fils très généreux et bon. Je suis sûre, qu'en votre compagnie, avec tout l'amour que vous lui vouez, il va se retrouver rapidement. Bon courage, madame...

*

Élaine Ramsey pleurait, la tête enfouie dans ses oreillers, en laissant ses larmes couler silencieusement. On aurait dit que sa peine refusait de montrer son visage au grand jour. Au bout d'un bon moment, elle se leva et se dirigea vers la salle de bain, histoire de se rafraîchir le visage avec une serviette d'eau froide. Puis, résolument, elle vint s'asseoir dans le fauteuil placé près de son lit. Sans attendre davantage, elle décrocha le téléphone.

—Allo, madame, le service des appels outre-mer, je vous prie. Merci. Allo? Madame, je voudrais placer un appel en Chine, plus précisément à l'hôtel Transcontinental China, à Shanghai. Voici le numéro...

*

—Jérôme, que dirais-tu, si on invitait grand-papa Jean-Pierre et grand-maman Madeleine à venir passer la fin de semaine avec nous à Outremont? Madame Racicot est bien heureuse de cette idée. Quant à toi, tu pourrais profiter pleinement de la présence de grand-papa Racine. Ce serait intéressant, non?

—Ah, que je suis content, maman! C'est pour vrai, là, grand-papa va venir?

—Bien, pas tout de suite, là, Jérôme, dit-elle, en souriant. Il faut d'abord que je les appelle pour savoir s'ils sont disponibles. Ça fait un bon bout de temps qu'ils ne sont pas venus nous rendre visite. Alors, je pense qu'ils apprécieront notre invitation.

—Ah, que j'ai hâte, maman!

Elle adressa un regard affectueux à son fils. Elle ne pouvait pas s'imaginer que les sentiments qui s'agitaient dans les émotions vives de son intelligence puissent être perturbés au point de mettre en danger son fragile équilibre enfantin. Elle se rappela alors ce qu'elle avait raconté à Nicolas, au cours de son appel en Chine.

—Rentre vite au pays et à la maison, Nicolas. Ton fils et moi, nous avons absolument besoin de ta présence et de ton amour. D'un commun accord, nous avons choisi qu'il naisse en bannissant définitivement de notre esprit la ténébreuse idée d'un possible avortement. Mais, nous en sommes rendus à un point crucial de sa jeune vie. Nous ne pouvons nous permettre que son âme avorte, avant qu'elle puisse ouvrir ses ailes à la vie. Les deux vont de pair... Rentre au pays au plus vite, je t'en prie. Le temps presse.

En somme, elle lui avait exposé, sans détour ni omission, l'intense questionnement qui la hantait. Son désarroi l'avait rejoint droit au cœur. De la lointaine Chine, sa voix lui était parvenue, claire et précise, lorsqu'il lui avait avoué:

—Tu sais, je me sens tellement coupable, tu ne peux t'imaginer comment. Tu as vraiment raison de me reprocher mes longues absences. Oui, je suis coupable, Élaine... Et, de plus en plus, cette culpabilité se donne presque des airs de remords, quand je pense à tout l'amour que tu ressens pour moi et à ce merveilleux soleil que constitue la présence de Jérôme dans notre vie. Je connais si peu cette lumière pure qu'il dégage. Je suis absent de sa vie, en quelque sorte.

À ce rappel, il était demeuré un long moment sans parler. Puis, lentement, il avait fini par conclure:

—Les affaires m'ont avalé, englouti, mis dans un carcan, Élaine. Et je me sens prisonnier d'une immense toile d'araignée presque planétaire où ma vie s'est engluée. Moi aussi, je souffre. Je souffre parce que vous me manquez et que je vous aime de toute mon âme. Et toi, ma tendre Élaine, j'ai tellement hâte de te serrer dans mes bras!

*

Durant leur trajet vers Outremont, Jean-Pierre et Madeleine Racine avaient discuté de choses et d'autres. Mais, auparavant, à la sortie de Trois-Rivières, tout juste avant d'emprunter l'autoroute, ils avaient fait une halte dans un marché public. Ils avaient acheté des pommes, quelques confitures de fruits et deux savoureux pains de campagne. Il n'était pas question pour eux d'arriver les mains vides.

—Élaine a eu une excellente idée de nous inviter à séjourner chez elle pendant quelques jours. Je crois que l'absence prolongée de Nicolas commence à se faire sentir.

—Oui, je pense la même chose. Pourvu que le petit Nicolas n'en souffre pas trop. Un père manquant, quelquefois, ça peut occasionner tellement de problèmes, tu sais...

Jean-Pierre Racine jeta alors un regard furtif vers son épouse, en souriant.

—C'est donc pour cette raison que tu es en train de lire le volume que j'ai aperçu sur ton bureau: *Père manquant, fils manqué?*[1]

—Ah, bon, voilà que tu surveilles mes lectures, maintenant! Non, Jean-Pierre. Ce que le psychologue Guy Corneau raconte dans ce bouquin donne grandement matière à réflexion. D'ailleurs, je l'ai apporté avec moi. Je voudrais bien que Nicolas y jette un coup d'œil. Ça ne pourrait que lui aider. Je vais le laisser à Élaine.

---

[1] Père manquant, fils manqué, Guy Corneau – Éditions de l'Homme, Montréal, 2006

—Je te taquine, Madeleine. C'est une bonne idée. Mais, tu sais, je ne crois pas que le petit s'en ressente. Il est capable de commencer à faire la part des choses. Cet enfant est tellement charmant! Et, en plus, il est doué d'une intelligence très vive.

—J'espère que tu as raison. Mais, lorsqu'elle m'a téléphoné pour nous inviter, elle m'a semblée un peu triste. Je ne sais... C'est peut-être juste une impression, mais tu connais les femmes. Nous avons parfois ce genre d'intuition, sans trop pouvoir les expliquer. De toute façon, je suis bien contente d'avoir cette occasion de passer un bon moment avec elle. D'ailleurs, elle m'a promis qu'elle me ferait visiter ses bureaux de la rue Notre-Dame, là où elle travaille la plupart du temps. Je crois qu'elle ne se rend au bureau-chef du centre-ville que pour les réunions du Conseil d'administration. Si je me souviens bien, c'est elle qui en est la secrétaire-exécutive. C'est cela, n'est-ce pas?

—Je crois que oui. Enfin, c'est quelque chose de ce genre. Tu sais, moi, je me perds un peu dans cette jungle des affaires. Tout ce que je peux te dire, c'est que, bientôt, d'après ce qu'elle m'a confié, elle ne travaillera désormais qu'au bureau-chef du centre-ville. On doit fermer la succursale de la rue Notre-Dame. C'est devenu inadéquat.

—En ce qui te concerne, je sais que tu détestes ce genre de visite. Alors, nous allons faire un compromis. Toi, tu iras te promener avec Jérôme. Élaine m'a dit que le Carré Viger ne se trouvait qu'à quelques minutes de marche de son bureau. C'est un endroit où vous pourrez peut-être faire un petit pique-nique. Pourquoi pas? À condition qu'il fasse beau, tout de même.

Elle jeta un regard dans sa direction, puis ajouta:

—De toute façon, ta présence fera un grand bien à Jérôme. De mon côté, après ma visite des bureaux d'Élaine, j'en profiterai peut-être pour faire quelques courses. Il paraît qu'il y a une petite galerie de boutiques, non loin.

Ce disant, elle lui décocha un clin d'œil coquin, mais révélateur de tout l'amour qu'elle vouait à son vieux compagnon.

—Ah, vous, les femmes! Vous décidez tout! Vous ne changerez jamais. Et, au risque d'utiliser un bon vieux cliché, que ferions-nous sans vous!

*

Bien installés dans la grande demeure d'Outremont, ils commençaient à apprécier l'accueil extrêmement chaleureux d'Élaine. Quant à Jérôme, depuis leur arrivée, il n'avait eu de cesse de parler constamment avec son grand-père, en échafaudant des projets pour le lendemain. Sa mère avait cru bon d'intervenir.

—Jérôme, prends ton temps et mange un peu moins vite. Tu parles tellement que grand-père n'a presque pas le temps de respirer...

—Mais, maman, ça fait si longtemps que je n'ai pas vu grand-papa d'aussi proche. J'ai beaucoup d'affaires à lui dire...

—Oui, tu as raison. Moi aussi, Jérôme, j'ai beaucoup *d'affaires* à te dire. Mais, gardons-en un peu pour demain. La température devrait être idéale, selon les prévisions. Alors, nous allons faire une excursion d'hommes, tous les deux. Avec quelques pommes, un bout de pain, un morceau de fromage et de quoi boire, ça devrait suffire, hein!

Élaine jeta un regard vers son fils, les yeux arrondis par ce qu'elle venait d'entendre. Rempli d'un contentement qui en disait long, il ajouta, la tête appuyée sur sa main gauche repliée:

—Moi, là, maman, j'ai assez hâte que je pense que je ne pourrai pas dormir.

—Ce soir, jeune homme, c'est moi qui irai te raconter une histoire. C'est un conte que ton père aimait beaucoup: celui du petit garçon qui avait brisé son traîneau.

Malgré lui, en entendant le nom de son père, Jérôme ne put s'empêcher d'afficher soudainement un air sérieux.

—Il y a seulement papa qui manque, hein, maman! Mais, ça fait rien. Grand-papa est là, lui. Il va le remplacer. C'est bien vrai, hein, grand-maman?

En lui souriant gentiment, elle lui demanda:

—Est-ce que tu voudrais un morceau de pouding aux pommes, Jérôme? Ça sent drôlement bon, ce dessert-là. Ce disant, elle se leva pour aller ouvrir la porte du four.

—Oh oui, grand-maman!

—Jean-Pierre, pendant que je ferai visiter mes bureaux à Madeleine, au coin des rues Bonsecours et Notre-Dame, vous pourriez vous rendre au Carré Viger. Bien sûr, il n'a pas l'envergure des grands parcs de Montréal. Mais il est situé tout près de l'édifice où je travaille. Le trajet s'effectue bien à pied. S'il fait beau comme on nous le promet, ce sera fort agréable. Qu'en dites-vous?

—C'est une excellente idée. L'automne doit y être magnifique, à cette période. Jérôme, demain, je te le promets, nous marcherons sur un beau tapis multicolore.

Jean-Pierre Racine lui adressa alors un clin d'œil. Puis, en empruntant un accent affecté, il lança à sa femme:

—Alors, elle vient cette portion de dessert aux pommes? Il ferma les yeux, tout en humant l'arôme qui s'en dégageait.

—Une odeur de cannelle me flatte l'odorat. Ah, rien de tel pour nous donner des forces pour demain, n'est-ce pas, Jérôme?

Pour toute réponse, le petit garçon l'observait, la mine réjouie, rempli d'admiration pour ce grand-père qui ne jouait jamais à la grande personne avec lui.

*

Vêtu d'un épais tricot de laine et d'un pantalon de velours côtelé, Jérôme ne prit guère de temps pour ouvrir la portière de l'auto. Sa mère venait tout juste de la stationner dans l'espace souterrain de l'édifice à bureaux.

—Viens, grand-papa. Il faut qu'on se dépêche, si on veut profiter du soleil.

—Tut... tut... tut... tut... Jérôme! Ne sois pas si pressé, voyons! Montons d'abord à mon bureau. De cette façon, quand vous reviendrez, vous pourrez nous retrouver facilement, grand-papa et toi.

—Ce n'est pas nécessaire, Élaine. Je connais votre numéro de téléphone cellulaire. Montons dans le hall d'entrée. Cela suffira. Nous sommes de grands garçons. N'est-ce pas, Jérôme, dit-il, en empoignant le sac à dos?

—Ça, c'est certain, grand-papa. Puis, moi, là, je le sais, maman, où il se trouve, ton bureau.

—C'est vrai, j'avais oublié. Excuse-moi, Jérôme. Je constate que j'ai affaire à un homme... heu... pardon... à deux hommes qui savent tout. Mes observations n'étaient pas nécessaires. Qu'en dites-vous, Madeleine?

—Oh, moi, vous savez, avec les années, j'ai appris à ne plus lui faire de mises en garde. De toute façon, il en fait toujours à sa tête. Mais je l'aime quand même, dit-elle, en prenant la main de son mari pour grimper l'escalier jusqu'au hall d'entrée de l'édifice.

*

Jean-Pierre Racine et son petit-fils marchaient d'un pas modéré depuis une douzaine de minutes. Ils aperçurent bientôt l'entrée du Carré Viger.

—Regarde, grand-papa. On est arrivés. On va pouvoir se reposer un peu. Est-ce que tu es fatigué de marcher?

—Non, au contraire, Jérôme. Cette marche m'a fait le plus grand bien. À mon âge, c'est bon de se dégourdir les jambes. À Trois-Rivières, je prends une bonne marche, tous les soirs. L'exercice, il n'y a rien de tel pour nous garder en forme. Plus tu vas grandir, Jérôme, plus tu vas ressentir le besoin de garder ton corps en bonne santé. La marche, ce n'est pas compliqué et c'est un excellent moyen d'y parvenir. Dis-moi, à ton école, je présume que ce n'est pas l'exercice qui manque, avec tous ces petits camarades pour jouer avec toi?

—Bien, Hugues, là, notre professeur d'éducation physique, il nous fait faire toutes sortes d'exercices. Des fois, là, on court, des fois, on saute. Puis on joue avec un ballon. Le professeur, il nous a dit que c'est comme ça qu'on apprend l'esprit d'équipe. Mais, moi, là, je voudrais bien. Mais les autres garçons, ils disent que je ne joue pas assez bien. Ça fait que j'ai beaucoup de la misère à apprendre l'esprit d'équipe.

Le Carré Viger était situé au-dessus de la portion souterraine de l'autoroute Ville-Marie. En ce début de matinée d'octobre, il ne connaissait pas son bourdonnement d'activité coutumière. Ça et là, quelques personnes circulaient, sans but précis, comme s'ils voulaient profiter de ce dernier répit de Dame Nature.

Jean-Pierre Racine était bien au fait de la réputation de ce lieu. Mais, comme le disait Élaine, il avait l'avantage d'être situé tout près de son édifice à bureaux. Par contre, les autorités municipales avaient commencé à lui redonner sa vocation première: un site conçu de manière à ce qu'on puisse le fréquenter en toute quiétude. En regardant Jérôme, il lui indiqua que l'endroit était en voie de rénovation.

—Oh, il y a bien encore des gens qu'on dit *marginaux* qui y trouvent encore refuge, avant l'arrivée des grands froids.

—C'est quoi, *des gens marginaux*, grand-papa?

—Ce sont des gens démunis, pauvres et délaissés, qui n'ont pas d'endroit où loger et manger. Alors, souvent, ils se regroupent dans les parcs publics comme celui-ci, ou encore là où c'est possible.

—Pourquoi ils sont comme ça, les marginaux?

—Souvent, mon petit Jérôme, ces personnes ont subi un accident, un choc qui leur a blessé profondément le corps et l'âme. La vie ne signifie plus rien pour eux. Tu sais, ce sont des gens qui ont bien besoin de notre aide.

—Grand-papa, comment on fait pour savoir si notre âme est blessée ou bien perdue? Les gens marginaux, comment ils l'ont su?

—Oh, c'est une question un peu embêtante, Jérôme. Je pense bien que ce n'est pas évident pour personne. Je serais porté à dire que c'est perdre le contrôle de soi, perdre l'amour qu'on porte dans son cœur. Pour un petit garçon comme toi, c'est très sérieux, Jérôme, ce que tu me demandes. Tu sais, quand on entre dans une maison où personne n'a vécu auparavant, on a l'impression que c'est vide, parce que personne n'y habite. Alors, lorsque les gens ont mal et souffrent, j'imagine qu'ils doivent ressentir un grand vide dans leur âme ou dans leur vie...

Jérôme écoutait religieusement les propos de son grand-père. Celui-ci se rendait bien compte que ce qu'il venait de dire l'intriguait au plus haut point.

—Grand-papa, moi, là, des fois, je pense que j'ai perdu la mienne... J'ai demandé à madame Racicot, puis à maman et aussi à madame Bisaillon. Mais elles m'ont répondu qu'un petit garçon comme moi, bien, ça ne pouvait pas perdre son âme, parce qu'elle était pure et belle. Mais moi, là, grand-papa, je ne sais plus. Des fois, là, quand je suis triste, je pense que je l'ai perdue. Mais, je ne sais pas pourquoi. Toi, grand-papa, est-ce que tu pourrais m'aider à la retrouver? Je ne veux plus être triste, puis poser des questions compliquées...

Extrêmement troublé par cette confidence de son petit-fils, le docteur Racine fit un effort considérable pour ne rien laisser paraître. Avec une grande bonté, il lui répondit en souriant tant bien que mal:

—Jérôme, ta mère et les autres madames ont raison. Ton âme est blanche comme les flocons de neige qui tombent du ciel en forme d'étoiles. Et tu sais ce que ça contient, une étoile? De la lumière, beaucoup de lumière. Elle est donc ensoleillée et elle brille comme de l'or. On ne peut pas perdre une âme aussi belle! Ne t'en fais donc plus avec toute cette histoire. Regarde! Il fait beau et nous avons le parc presque pour nous deux.

Plus que décontenancé, il avait cru bon de couper court aux questions un peu trop sérieuses de l'enfant. Il serait toujours temps d'aviser en temps et lieu, le soir venu.

—Je t'avais promis qu'on marcherait sur un beau tapis de feuilles mortes. Eh bien, ma promesse est tenue. N'est-ce pas magnifique?

De temps à autre, une légère brise agitait les branches des arbres dépouillés de leurs feuilles. Celles-ci couvraient le sol d'un splendide tapis aux couleurs de rouille, d'or, d'orange et de pourpre. La lumière matinale y jouait nonchalamment. On avait l'impression qu'elle y fixait ses empreintes en permanence.

Les deux marcheurs arrivaient en face du lieu d'exposition de la place. Jean-Pierre Racine proposa alors à son petit-fils:

—Ce serait intéressant d'aller y jeter un coup d'œil. Une petite visite, est-ce que ça te plairait? Je crois que l'endroit est encore ouvert.

—Je veux bien, grand-papa...

—Alors, allons-y. Ce doit être intéressant, cette exposition de sensibilisation à ce parc. Après notre visite, ce sera presque le temps de notre pique-nique d'automne, Jérôme.

*

De magnifiques tableaux ornaient les murs du hall d'exposition. Lentement, en admirant les couleurs vives et les lignes modernes des œuvres, Jérôme n'avait de cesse de poser mille et une questions à son grand-père.

—Regarde, on dirait des arbres qui sont tous mêlés et qui pleurent.

—Peut-être qu'ils pleurent parce qu'ils ont perdu leurs feuilles et qu'ils se serrent les uns contre les autres pour ne pas avoir trop froid. Qu'en penses-tu?

—Oui, peut-être... Mais c'est triste quand même, grand-papa. Les marginaux, là, ils pleurent aussi. Mais ils sont tous seuls. Oui, c'est malheureux, hein, grand-père?

—Oui, en effet, c'est triste, comme tu dis si bien. C'est pour cette raison qu'on les aide, en faisant des dons aux organismes qui s'occupent d'eux. Ainsi, ils se sentent moins seuls, moins tristes...

—Quand papa va revenir de son voyage, là-bas, en Chine, je vais lui demander qu'on les aide, nous aussi.

—C'est une excellente idée, Jérôme, ajouta-t-il, en sortant du hall d'exposition.

*

—Tiens, je crois que nous serons bien à l'aise ici, pour prendre notre petit goûter. Est-ce que c'est à ton goût ou préfères-tu qu'on aille s'installer ailleurs?

Jérôme ne répondit pas tout de suite... Depuis sa sortie du hall d'exposition, il n'avait eu de cesse de regarder partout autour de lui, comme s'il voulait à tout prix observer les gens et les lieux, en les photographiant dans sa tête.

—Jérôme, hou, hou... Est-ce que cette table fait ton affaire?

—Heu, oui, oui, on va être bien, ici, grand-papa.

Distrait et pour cause, il se garda bien de lui mentionner que, non loin d'eux, près de l'un des blocs de ciment du Carré Viger, il venait d'apercevoir le vieil homme du programme télévisé, le vieil homme au violon cassé, celui qu'il voulait rencontrer à tout prix, parce que, lui aussi, il avait perdu son âme...

*

Jean-Pierre Racine désirait profiter de la bienfaisante chaleur de midi. Après avoir ouvert le sac à dos, il en sortit les victuailles que Julie Racicot avait préparées: des sandwichs, des pommes, des carrés de fromage, des biscuits ainsi que les indispensables bouteilles d'eau et de jus de fruits.

—Monsieur est servi, dit-il alors, en exécutant une courbette à l'endroit de son petit-fils.

En souriant de toutes ses dents, bien installé en face de son grand-père, Jérôme balançait alternativement ses deux jambes. Il était heureux de profiter pleinement de sa présence mais, surtout, d'avoir enfin aperçu le vieux monsieur, dont la silhouette n'avait jamais quitté son esprit.

—Ça, Jérôme, ce sont des pommes «*fameuses*» Et sais-tu pourquoi elles sont «*fameuses*»?

Il lui fit un signe négatif, en haussant les épaules.

—Eh bien, c'est parce que, durant tout l'été, elles ont poussé et grossi, en pensant qu'un certain jour ensoleillé d'octobre, elles viendraient faire les délices du palais d'un petit garçon appelé Jérôme, ici même, dans le parc Viger. Rien de moins.

Il se mit à rire de la mimique de son grand-père, tout en mordant avec appétit dans l'un des sandwichs de madame Racicot.

—On est bien, hein, grand-papa, là, tous les deux.
—Oui, Jérôme. On est vraiment bien. On est ensemble, on s'amuse. Mais, aussi, parce que la vie nous a bien gâtés.

Après avoir ingurgité un peu de jus de fruits, Jérôme déposa sa bouteille. Il était soudainement devenu pensif en entendant ces propos. Il croisa alors ses bras sur la table. Le regard plus que sérieux, il se mit à dévisager le docteur

Racine. Celui-ci ne mit que peu de temps à s'en rendre compte.

—-Qu'y a-t-il, Jérôme? Est-ce que tu veux autre chose? On dirait que tu viens de perdre ton sourire.

—-Grand-père, pourquoi la vie, là, bien, elle nous a beaucoup gâtés, puis qu'elle a pas gâté le vieux monsieur qui est assis là-bas. Regarde, là, près du mur de ciment. Il a un manteau noir tout usé. Puis, il a l'air fatigué. On dirait qu'il a perdu son âme.

Jean-Pierre Racine regarda alors dans la direction indiquée par l'enfant. Effectivement, un vieil homme était assis, adossé au mur de ciment de l'îlot de verdure, non loin d'eux.

—C'est sans doute un itinérant qui est venu s'y réfugier, pensa-t-il. En regardant l'enfant, il lui répondit:

—Hum! J'avoue que c'est plutôt compliqué de répondre à ta question. Souviens-toi de ce que je t'ai expliqué tout à l'heure et ça devrait suffire.

—Rémi, lui, quand je lui pose des questions comme ça, il me dit que ça le déconcerte.

—Rémi, c'est l'un de tes amis de l'école?

—Non. Rémi, c'est lui... Tiens...

En disant cela, il ouvrit son sac et saisit son ourson de peluche, en l'exhibant bien à sa vue.

—Ah, c'est... Rémi... Bien... Je vous présente mes hommages, monsieur Rémi... Avez-vous faim, monsieur Rémi?

Jérôme se mit à rire, en se hâtant d'ajouter:

—Bien non, grand-père! Rémi, là, il ne peut pas manger, lui!

—Mais, si je t'ai bien compris, tu lui parles et il répond à tes questions.

—Oui... heu... Bien, il me parle, mais d'une drôle de manière. Il me parle ... là... En disant cela, il lui indiqua alors sa tête et son cœur. Mais, des fois, il ne répond pas. Lui aussi, il me trouve compliqué. Puis, il dit que mes questions sont subtiles...

*

À présent, ils avaient terminé leur lunch. Il leur restait plusieurs victuailles. Madame Racicot avait été vraiment généreuse dans ses portions. Il s'apprêtait à remettre le surplus dans le sac à bandoulières, lorsque Jérôme lui demanda:

—Grand-père, si tu voulais, là, bien, j'aimerais ça aller donner ce qui reste au vieux monsieur. Il n'a pas dîné, lui.

—Je ne sais trop... Je pense que... Enfin, je crois que c'est une bonne idée. Tiens, je vais placer tout ce qui reste dans ce sac de plastique. Attends un petit moment. Mais, je vais y aller avec toi. Tu lui remettras le sac. Je vais te surveiller. Sois prudent quand même...

Tout heureux de ce dénouement, Jérôme prit le sac, après avoir bien écouté les consignes de son grand-père. Tous les deux partirent en direction du vieillard. Rendu à mi-chemin, le docteur Racine fit signe à Jérôme de continuer seul. Lorsque le vieil homme le vit s'approcher de lui, il releva la tête avec étonnement. Rendu tout près de lui, Jérôme le salua poliment en lui disant:

—Bonjour, monsieur. Je suis avec mon grand-père, là. On a pensé venir vous donner des pommes, un sandwich et du jus. Puis, aussi, je voulais vous dire que je vous ai vu à la télé. Est-ce que c'est vrai que vous avez cassé votre violon, puis que vous avez perdu son âme, puis la vôtre aussi? Parce que moi, là, bien, je pense que j'ai perdu la mienne aussi.

Jérôme avait tout déballé d'un trait, comme s'il récitait une leçon apprise depuis longtemps. L'homme ne disait rien. Mais, il le fixait profondément. On avait l'impression que l'enfant venait de rouvrir une vieille blessure. Il finit par lui répondre, d'une voix un peu tremblante:

—Merci, mon petit garçon. J'apprécie ton geste de bonté. Comment est-ce que tu t'appelles?

—Jérôme. Et j'ai six ans.

—Tu es un grand garçon sérieux, Jérôme. Moi, je m'appelle Tomasz.

Jérôme se retourna pour vérifier si son grand-père se tenait toujours non loin de lui. Puis, en baissant un peu la voix, il dit au vieil homme:

—Moi, là, monsieur Tomasz, j'aimerais beaucoup revenir vous voir. Et là, je vais m'asseoir avec vous pour parler. J'aimerais tellement que vous me disiez comment faire pour la retrouver. Je ne veux plus être triste...

—Jérôme, un petit garçon comme toi, qui pose un geste de bonté, en m'apportant des pommes, ne peut pas avoir perdu son âme. C'est impossible... Mais, si tu veux, tu peux venir m'en parler. En attendant, va retrouver ton grand-père. Dis-lui merci pour moi. Un grand-père, c'est une vraie chance et un grand bonheur d'en avoir un. Profites-en pleinement, Jérôme. Va, maintenant. Et merci encore...

*

Gonflé à bloc, Jérôme avait vite retrouvé son grand-père.

—Alors, Jérôme, tu es content de ton geste?

—Oh, oui, grand-papa, je suis bien content! Le monsieur, là, il s'appelle Tomasz. Il m'a dit de te remercier. Puis, il a dit aussi que j'étais chanceux d'avoir un grand-père, que c'était un grand bonheur pour un petit garçon.

Ému du geste posé par son petit-fils, il se contenta d'ajouter:

—Bon, maintenant, je crois que le moment est venu d'aller retrouver grand-maman et ta mère. Viens. Je vais ajuster ton sac à dos.

L'instant d'après, d'un pas alerte, ils se mirent en marche. Le docteur Racine le tenait par la main. Ce qu'il venait de vivre avec lui l'avait drôlement remué. Sa décision était prise: dès son retour à la maison, il en parlerait sérieusement à Élaine.

Quant à l'enfant, lui, tout souriant, il échafaudait déjà un plan dans sa tête. Mais, avant tout, il lui faudrait en parler avec Rémi, pour qu'il lui donne son accord.

*

L'arrivée à Outremont coïncida avec la tombée du crépuscule. La lumière avait déjà cédé le pas à la nuit presque tombée. L'auto s'engagea dans l'entrée de la demeure.

—Ouf! Je suis contente d'être arrivée. Et vous, Madeleine?

—Ce fut une journée bien remplie, en effet... Et vous, mes deux hommes?

—Oh, nous... Ce fut une excursion bien plaisante. Rien à redire, répondit son mari.

—Vous avez bien mangé, à ce que je vois. Le sac de provisions est vide.

—Ah, ça, c'est notre secret! N'est-ce pas, Jérôme, dit-il, tout en fermant la portière?

—Oh, oui, grand-papa! Un beau secret, répondit l'enfant, tout en observant les deux femmes.

—Voilà qu'ils ont des secrets, maintenant. Décidément, il n'y a pas que les femmes, n'est-ce pas, pour aimer les secrets... Les hommes aussi, ajouta Élaine, un grand sourire éclairant son visage, lorsqu'elle pénétra dans la maison.

*

Quand elle descendit l'escalier pour se rendre à la cuisine, le docteur Racine venait tout juste de fermer la porte de la penderie.

—Cherchez-vous quelque chose, Jean-Pierre?

—Non. J'y déposais ma veste que j'avais laissée sur la chaise de l'entrée. Élaine, je... enfin... je profite de ce moment où nous sommes seuls pour vous demander si, après le souper, ce serait possible que j'aie un entretien avec vous. Ce ne devrait pas être long.

—Bien sûr que c'est possible. Est-ce que vous avez eu des problèmes avec Jérôme, demanda-t-elle, un brin d'inquiétude dans la voix?

—Oh non, ce n'est rien de grave, rassurez-vous. Je voudrais simplement avoir votre opinion.

—D'accord. Dès que Jérôme sera monté à sa chambre, je vous rejoindrai dans la bibliothèque. En attendant, je crois qu'il vous attend dans la salle de séjour. Moi, je vais aller donner un coup de main à Madeleine et Julie.

—-Trois excellentes cuisinières. Hum, cela promet pour le souper. Je suis déjà impatient, reprit-il, en souriant.

*

Élaine ne savait pas exactement combien de temps elle avait passé devant la fenêtre de sa chambre, les mains appuyées sur le rebord, à regarder la nuit. À présent, chaque détail de sa conversation avec le docteur Racine lui revenait en mémoire.

—Élaine, je ne sais vraiment pas si je devrais aborder ce sujet avec vous. Je me sens mal à l'aise. Mais, je prends comme acquis que nos confidences mutuelles des années passées nous ont bien servis, n'est-ce pas? En aucune façon, ce soir, je ne voudrais faire preuve d'un manque de délicatesse ou d'ingérence dans vos affaires de famille.

—Vous avez raison, docteur Racine. Vous avez toujours su nous apporter votre aide et vos sages conseils. Si vous prenez ainsi la peine de venir me rencontrer, c'est que quelque chose ne tourne pas rond. Je présume qu'il s'agit de Jérôme, n'est-ce pas?

Jean-Pierre Racine, les deux index sur sa bouche, avait semblé réfléchir avant de répondre. Chose curieuse, chaque fois que la situation s'annonçait sérieuse, Élaine s'adressait à lui en utilisant le terme «docteur Racine». Après avoir pris une longue inspiration, il lui avait alors confié:

—Élaine, je n'ai pas voulu vous en parler auparavant. Mais, depuis les dernières semaines, vous m'avez semblé particulièrement inquiète et tendue, au sujet de votre fils. Votre dernier appel téléphonique a été très révélateur à ce propos. Ma venue à Montréal n'est pas fortuite. J'attendais votre invitation avec fébrilité. Vous savez combien je vous apprécie, Élaine. Votre courage, votre compréhension et l'amour inconditionnel dont vous gratifiez mon fils, malgré son appétit dévorant pour les affaires et ses interminables voyages, me comblent de fierté. Mais, Nicolas est absent de vos vies, Jérôme et toi. Ça, c'est un fait indéniable. Il est absent de votre amour et absent de la vie de son fils. Et ça, c'est impardonnable...

Rarement, Élaine n'avait entendu de tels propos de la part du docteur Racine. D'habitude, cet homme pondéré avait toujours fait preuve d'une grande sagesse, sachant utiliser chaque terme avec modération dans ses réflexions. Elle avait donc déduit que son "beau-père" commençait à être passablement excédé par la conduite de son fils à leur endroit.

—C'est une chance providentielle pour moi et une idée géniale que vous avez eu, Élaine, que ce pique-nique impromptu, dans le secteur du Vieux-Port. Ce rendez-vous privilégié avec le petit Jérôme m'a permis de converser avec lui, de partager un peu ses rêves d'enfant et de répondre à ses questions. Soit dit en passant, elles sont extrêmement précises, je puis vous l'assurer.

Il s'était arrêté un moment, tout en la regardant avec son air sérieux des moments graves.

—Élaine, elles m'ont appris beaucoup de choses sur son état d'âme. Jérôme est un garçon très évolué pour son âge. De plus, il est doué d'une grande vivacité d'esprit. Alors, tu comprends que ses gestes et ses réflexions le démontrent amplement. Mais, ce qui me tracasse, c'est que ce questionnement de votre enfant revêt plutôt une couleur... je dirais... psychologique. Tenez, à titre d'exemple, il parle de l'âme, comme moi, je pourrais traiter de la température. Avouez qu'il y a là matière à une profonde réflexion...

Le docteur Racine observa une nouvelle pause. Puis, sans détour ni feinte, il enchaîna, conscient que le contenu de ses paroles risquait fort de bouleverser étrangement sa belle-fille:

—Nous avons eu une longue conversation, Jérôme et moi. Disons que le mois d'octobre est un peu tardif pour les pique-niques. Mais, heureusement, la température s'y prêtait bien. Je tenais beaucoup à ce rendez-vous avec lui.

Jean-Pierre Racine prit une profonde inspiration. Ce qu'il s'apprêtait à lui confier revêtait une extrême importance à ses yeux.

—J'aime profondément votre fils, Élaine. Et ce qu'il m'a révélé aujourd'hui me cause un questionnement intense. Peu après notre arrivée au Carré Viger, nous avons marché, çà et là, dans les allées, sans but précis. Je lui avais promis un épais tapis de feuilles mortes. Tout y était. Tout à coup, nous avons aperçu quelques personnes démunies, assises près du muret de ciment de l'un des îlots de verdure. Je lui ai alors indiqué que c'étaient des marginaux qui venaient s'y réfugier avant l'arrivée du froid. Je te fais grâce de tous les détails. Mais c'est à ce moment que ses questions ont commencé à fuser. Tout y a passé: qu'est-ce qu'un marginal, pourquoi ils ont perdu leur âme, comment ils ont pu s'en rendre compte, etc. Sans compter son interprétation des tableaux du centre d'exposition.

Jean-Pierre Racine s'arrêta, visiblement troublé...

—Élaine, avant de continuer, si vous le voulez bien, je prendrais volontiers un petit verre de brandy.

Au moment où elle versa le liquide ambré dans deux verres, Élaine sentit les larmes lui monter aux yeux.

—Excusez-moi, docteur Racine... Je suis tellement troublée par tout ce qui arrive que j'en oublie tous mes devoirs d'hôtesse.

Il s'était bien rendu compte qu'elle était au bord des larmes. Il ne savait plus s'il devait donner suite à sa conversation.

—Je sens bien que ces révélations vous touchent profondément. Dois-je quand même continuer?

—Je vous en prie. De toute façon, vous ne pouvez rien m'apprendre que je ne sais déjà.

Il avait saisi son verre pour le porter à ses lèvres. Puis, sans attendre, il lui avait raconté la suite.

—Ce qui m'a le plus troublé, c'est au moment où il m'a affirmé qu'il pensait avoir perdu son âme. Il m'a alors confié en avoir parlé avec Rémi, son ourson de peluche, son ami imaginaire.

—Oui, je sais déjà tout cela, docteur Racine, avait-elle répondu, d'un ton neutre, les deux mains collées à son verre.

—Lorsque notre collation s'est terminée, Jérôme est devenu soudainement très sérieux. C'est alors qu'il m'a déclaré: «Grand père, pourquoi la vie nous a gâtés, puis a oublié le vieux monsieur qui est assis là-bas, près du mur de ciment? Il a un manteau usé et il a l'air fatigué. On dirait qu'il a perdu son âme...» Je vous avoue que je n'ai pu répondre à un tel questionnement.

Elle avait gardé la tête baissée, sans ajouter un mot. Le cœur défait, abattue, presque assommée par les propos que son beau-père venait de lui rapporter, elle avait laissé ses larmes couler librement. Cette échappatoire momentanée lui avait permis de soulager sa peine.

Le docteur Racine s'était contenté de la regarder. Il était visiblement ému lui aussi par le désarroi qu'il venait d'installer dans son âme. Au bout d'un long moment, il s'était levé pour venir prendre place sur le bras du large fauteuil qu'elle occupait.

—Vous savez, dans une telle situation, il ne faut surtout pas céder à la panique. Jérôme est un garçon en bonne santé physique. Ce dont il a besoin, c'est de retrouver son âme d'enfant. Il n'a pas tort, vous savez, en pensant qu'il l'a perdue. Je connais un excellent psychologue spécialisé dans ce genre de cas. Si vous le voulez, je pourrais peut-être lui en glisser un mot. Jérôme n'est pas un cas unique. Tout ce qu'il lui faut, c'est d'être rassuré et de retrouver son identité d'enfant. Intelligent comme il est, ce devrait être assez rapide. Tout va rentrer dans l'ordre. Qu'en pensez-vous?

—Je... Je ne puis décider toute seule... Nicolas doit revenir dans une semaine. Ce sera un choc terrible pour lui. Je crois que j'ai lamentablement échoué dans mon rôle de mère et d'éducatrice. Où ai-je fait l'erreur, docteur Racine? En le mettant au monde, peut-être?

—Élaine, je vous défends de vous accuser ainsi. Ce libre choix de lui donner la vie, vous l'avez assumé avec amour, certitude et affection. Vous aimez profondément votre fils et il vous adore. Que désirez-vous de plus? Tout ce qu'il vous demande, c'est de l'aider à retrouver sa raison d'être.

—Et Nicolas, dans tout ça?

—Ah, parlons-en donc de mon fils, ce père absent, dévoré par le démon des affaires! Bien sûr, il est parti prenante, comme vous le pensez. Mais il évite d'assumer aussi une grande part de responsabilité, ne serait-ce, à titre d'exemple, le simple fait de jouer avec son fils, de le prendre dans ses bras, de lui montrer à lancer sa ligne pour attraper un poisson, de courir sous la pluie, de faire un bonhomme de neige, et que sais-je encore...

Jean-Pierre Racine avait vidé son verre d'un seul trait.

—Ah, la belle excuse que cette percée asiatique! Rien de mieux qu'un lointain voyage de plus d'un mois pour se dérober à l'âme de son enfant, de... vouloir l'avorter encore... d'une certaine manière... Non, ma grande fille. Je vous en prie, ne vous accusez pas. Une tâche immense vous attend. Votre fils cherche son âme. Mais le mien, mon fils Nicolas, il est en train de perdre la sienne! Et il n'y a que votre amour qui peut nous les ramener tous les deux. Ne flanchez surtout pas. Nous avons tellement besoin de votre aide et de votre tendresse!

*

En exhalant un long soupir, Élaine se dirigea vers son lit. Elle enleva sa robe de chambre et se glissa sous la couverture. Le rappel de son entretien avec le docteur Racine avait remué de singulières pensées dans sa tête.

—J'ai l'impression que ma vie ressemble à une phrase interrompue, dont l'achèvement ne serait qu'une étape sur un chemin inconnu...

Les deux mains sous sa tête, une position familière qu'elle adoptait chaque fois que le sommeil oubliait son rendez-vous, elle pénétra encore plus loin dans son for intérieur.

—C'est le docteur Racine qui a raison. Madeleine et lui sont blessés profondément par la courbe de vie que Nicolas a empruntée. Ou, plutôt, que nous avons résolument adoptée tous les deux. Maintenant, l'ambition nous a rejoint, nous défait et nous tue lentement. Je suis forcée de constater que l'angoisse commence à ronger nos âmes, comme une rouille qui perce. Quand on regarde la pureté qui se lit dans les yeux de Jérôme, tout cela nous saute aux yeux. Non... Quand

Nicolas reviendra, un sérieux bilan de vie s'impose, avant de tout perdre...

Elle se tourna du côté droit et éteignit la lampe de chevet.

—Ah, si seulement l'être humain possédait lui aussi un commutateur, ce serait si facile de tout oublier, pensa-t-elle, seule dans le noir...

*

Le trajet vers l'aéroport s'était effectué sans histoire, malgré quelques bouchons de circulation matinale. Elaine se tenait debout devant l'une des grandes fenêtres panoramiques de l'observatoire aéroportuaire. Elle regardait au loin, sans voir les gros transporteurs qui s'apprêtaient à prendre le départ vers d'autres lieux, d'autres villes, d'autres ambitions. Son esprit était ailleurs. Bientôt, Nicolas se tiendrait à ses côtés, son Nicolas, son homme bien à elle, dont l'absence lui avait paru durer un siècle. Lors de son dernier appel, elle n'avait pas osé lui parler de Jérôme. Tout au plus, elle lui avait affirmé que tout allait bien. De toute façon, Jérôme semblait bien loin de ses préoccupations d'homme d'affaires. D'après elle, Nicolas vivait presque hors de la réalité du temps et de leur réalité familiale et que leur vie s'écoulait, étrangère et monocorde. La belle mélodie du début commençait à laisser entendre des fausses notes. Ce n'était plus du sable fin qui leur filait entre les doigts, mais un courant puissant qu'il leur fallait à tout prix endiguer.

À ce moment précis, une phrase que le docteur Racine lui avait dite, avant son départ, lui revint en mémoire, avec une acuité particulière: «Votre fils cherche son âme... Mais mon fils Nicolas est en train de perdre la sienne, lui aussi. Il n'y a que votre amour pour nous les ramener tous les deux».

—Oui, c'est vrai que je t'aime, Nicolas! Je t'aime, malgré tes longues absences... Je t'aime, parce que je sais que tu es fidèle et que c'est avec toi que j'ai choisi de partager ma vie. Ah, mon Dieu, s'il était possible que tout rentre dans l'ordre, que tu comprennes que Jérôme t'aime profondément, qu'il a besoin de toi et que le temps presse.

Le vol 470-A, d'Air China, en provenance de Shanghai vient d'atterrir, annonça une voix neutre.

*

Durant son interminable trajet de retour vers Montréal, Nicolas Racine avait bien tenté de se reposer un peu, mais en vain. Depuis son arrivée à Shanghai, deux mois auparavant, les réunions avec les dirigeants et les gens d'affaires chinois s'étaient avérées passablement harassantes, tout en exigeant une grande flexibilité de sa part. Ouvrir de nouveaux marchés, dans le contexte complètement différent de l'économie chinoise, constituait un défi de taille.. Il avait dû affronter ce nouveau travail avec beaucoup d'acharnement et de courage.

Mais, il était bien forcé de l'admettre: son voyage l'avait bel et bien exténué. Amaigri, la figure pâle, il ressentait, depuis plusieurs semaines, une envie folle de serrer Élaine dans ses bras, de lui répéter les mêmes mots de tendresse et d'amour. Il lui fallait sa présence. Il lui fallait absolument la regarder dans les yeux, en communion intime avec elle. Cela lui semblait trop frustrant de lui avoir déclaré simplement son amour dans la froideur aseptisée d'une chambre d'hôtel, à l'autre bout du monde, un récepteur téléphonique collé à l'oreille.

—Malgré toutes mes réussites et mes performances d'affaires, il me semble, de plus en plus, que je ne suis pas à la hauteur de moi-même. Lors de ses derniers appels, Élaine m'est apparue lointaine, triste,

ennuyée par un je-ne-sais-quoi difficile à cerner. Elle m'a parlé du petit Jérôme en des termes presque voilés qui cachent quelque chose que je ne parviens pas à comprendre.

Il en était à ce stade de ses pensées, lorsque l'hôtesse vint lui offrir une consommation.

—Volontiers, madame. Un scotch sur glace, s.v.p.

Un moment plus tard, lentement, il porta le verre à ses lèvres. Puis, sans attendre, il abaissa le dossier de son siège et ferma les yeux.

—Voilà, Nicolas. Tu es seul en face de toi-même, seul au-dessus des nuages. C'est bien, n'est-ce pas? Depuis toujours, c'est ce que tu désires: être au-dessus de tout... Mais, ta famille, dans tout ce fatras d'affaires, dans ce monde de coude à coude, d'affrontement et de bousculades, où est-elle? Aurais-tu manqué son rendez-vous, par hasard? Ta réussite professionnelle est indéniable. Mais, sois réaliste et lucide: elle a aussi toutes les apparences d'un bel échec. À cause de tes longues absences, ton amour pour Élaine n'habite plus à la même enseigne. Tout au plus, elle co-habite, avec convenances, dans deux demeures à votre mesure. Quant à ton fils, il s'éloigne de toi de plus en plus. À un point tel que, bientôt, il se détournera, quand tu voudras le prendre dans tes bras, pendant qu'il en est encore temps.

Ébranlé par cette voix intérieure incisive et tranchante, il reprit son verre. D'un seul trait, il en avala le contenu. Pour une fois, là, entre ciel et terre, loin des tracasseries d'affaires, l'homme supposément maître de lui, mais aussi, quelque part, le petit garçon de Jean-Pierre Racine, venait de se faire rattraper par la voix de sa conscience. Et cette confrontation, c'était le dernier appel d'Élaine qui l'avait suscitée: «*Reviens vite, Nicolas. Je n'en peux plus de ton absence. Nous avons besoin de toi, Jérôme et moi. Mais, Jérôme encore plus, tu sais.*»

À présent, il se souvenait. Oui, avec le recul des années, certaines paroles qu'il avait prononcées lui revenaient en mémoire.

—*Quand on croit un problème résolu, souvent, il nous revient comme un boomerang, emmêlé dans de nouvelles données:* «Tu es une femme extrêmement courageuse, Élaine Ramsey. Oui, c'est vrai, j'ai été égoïste, oui, c'est vrai, j'ai pensé que la solution de l'avortement viendrait tout régler, comme s'il s'agissait de claquer des doigts... Comme j'ai été bête! Exactement comme une machine informatisée qui refuse de traiter les données qui lui sont soumises. Et les miennes, mes données de vie, mes valeurs, tu les as analysées. Et, dans un immense élan d'amour, tu es en mesure maintenant de les transmettre à cet être vivant dans ton ventre, sans vouloir le rejeter, comme moi je désirais le faire... Et, pour lui donner la vie tu es prête à sacrifier ton amour et ta carrière.»

Nicolas, la figure pâle, sentit le besoin de respirer à fond. Ce matin, il revenait chez lui. Alors qu'il aurait dû arborer un lumineux sourire et ressentir une grande fébrilité l'envahir, voilà qu'il appréhendait plus que tout le moment où il croiserait le regard de sa chère compagne de vie, à sa descente d'avion.

—*Le voilà donc, ce constat de luttes et de conquêtes. Mais, est-ce pour en arriver là que tu as dépensé tant d'énergie et de travail, Nicolas? Ah, c'est bien, n'est-ce pas, de retourner, jour après jour, dans un bureau d'affaires, au service d'une clientèle mercantile et exigeante. On appelle cela travailler, accomplir son devoir. Et puis, de retour à la maison, on se retrouve de plus en plus las, sans désir, sans impatience d'amour... Et, comme ultime constat, on se rend compte, un bon jour, que notre fils poursuit une route différente et que son cœur pleure en secret.*

Nicolas ouvrit les yeux. Le gros transporteur Boeing 727 venait de traverser une zone de turbulences. Cet incident le fit sursauter. Un léger sourire effleura son visage à ce moment.

—*La vie aussi épouse ses turbulences et ses perturbations, au moment où on s'y attend le moins. Je crois, non, je suis plutôt convaincu qu'Élaine et Jérôme ne méritent pas cette solitude que je leur ai imposée. Pas plus que moi, d'ailleurs. Maintenant que tout est en place en Chine, que je reviens chez nous, le temps est venu de faire le grand ménage. Dans peu de temps, je pourrai prendre Élaine dans mes bras. Elle sera là, amoureuse et fidèle, prête encore à partager notre aventure, si, toutefois, je le présume, elle cesse d'être cahotante. Je lui expliquerai mon désarroi, malgré toutes ces supposées réussites. Force m'est de constater que, malgré toutes les apparences, je suis loin d'être un homme heureux. Et cette prise de conscience, je demeure convaincu qu'elle m'aidera à la supporter et à la guérir, elle, la parfaite, la patiente et l'indulgente Élaine. Je n'en peux plus. Car l'égoïsme me mure et me gruge l'âme, au point que j'ai peur, parfois, d'y laisser ma vie. S'il y a une réussite à inscrire définitivement dans ma mémoire, ce n'est pas d'avoir implanté avec succès notre nouvelle succursale. Non. C'est beaucoup plus d'avoir enfin compris que nous existons tous les trois et que cette évidence doit maintenant s'appeler bonheur. Si, toutefois, c'est encore chose possible de guérir nos âmes.*

Le regard perdu au-delà des nuages qui défilaient à travers le hublot, Nicolas entendit tout à coup la voix de l'hôtesse qui annonçait:

—*Nous amorçons maintenant notre descente vers l'aéroport international de Montréal. Veuillez, s.v.p. avoir l'obligeance de demeurer à vos sièges et de boucler votre ceinture. Merci d'avoir voyagé avec Air China. Au revoir.*

*

Madame Racicot s'était surpassée pour le repas des retrouvailles. Jérôme n'avait de cesse de parler, de se lever, de vider son sac, à la recherche de ses dessins, pour les montrer à son père. Surexcité et heureux tout à la fois, il se collait littéralement à Nicolas, comme s'il désirait rattraper le temps perdu.

Quant à Élaine, de temps à autre, elle caressait tout doucement la main de son compagnon. Ce moment privilégié, c'était celui de son fils. Pour rien au monde, elle n'aurait voulu gâcher ce temps de vie où, pour une rare fois, un père et son fils communiaient ensemble. De temps à autre, cependant, elle avait remarqué que Nicolas s'essuyait les yeux, en regardant silencieusement son enfant et se contentant d'hocher la tête en signe d'assentiment.

—Monsieur Racine... heu... pardonnez-moi... Mais, je me souviens toujours que votre dessert préféré, c'est... Elle n'eût guère le temps de terminer sa phrase, car Nicolas l'avait interrompue, en lui souriant gentiment.

—Des fraises à la crème! Tu vois, Jérôme, je le savais! Là-haut, loin, dans les nuages, j'étais convaincu que maman Julie préparerait des fraises à la crème. Va vite t'asseoir, Jérôme. Il ne faut surtout pas manquer un moment pareil. C'est un rite familial qu'il ne faudra jamais oublier...

Amusé, Jérôme laissait errer son regard vers madame Racicot, en passant par Élaine. Puis, en riant aux éclats, il dit alors à son père en s'installant à table:

—Papa, c'est un beau nom, ça, maman Julie... Regarde, elle est toute rouge. N'est-ce pas, maman?

—Si je suis rouge, comme tu dis, Jérôme, c'est à cause du compliment de ton père. Et puis, il fait tellement chaud près de la cuisinière!

Nicolas se leva pour ajuster la chaise de son fils. Mais ce prétexte apparut vain aux yeux d'Élaine. Pour une rare fois, il se pencha pour l'embrasser sur le front. Émue plus que de raison, elle crût bon d'ajouter:

—Hum! C'est vrai, maman Julie. Elles sont délicieuses, ces fraises à la crème.

Nicolas la regarda avec attendrissement. Dans la simplicité de leurs gestes conviviaux, le rire cristallin de son fils venait de le rejoindre, au plein creux du cœur.

—Jérôme, dès que le repas sera terminé, j'ai une surprise pour toi, une pour Julie et une grosse surprise pour maman. Et ça vient de Chine, rien de moins.

—*Et si c'était aussi simple, le bonheur*, pensa-t-il, en adressant un clin d'œil complice en direction d'Élaine.

*

Jérôme n'en finissait plus d'admirer le couple de marionnettes colorées et typiques des légendes du théâtre chinois.

—Tu sais, ce sont des pièces de collection, Jérôme. Tu pourras les accrocher dans ta chambre.

—Merci beaucoup, papa, lui répondit-il, en lui sautant au cou.

—Quant à vous, maman Julie, je ne vous ai pas oubliée.

—Vous savez, madame Ramsey, je crois que je ne m'habituerai jamais à ce titre. Il vous revient d'emblée. Euh... moi, je n'en mérite pas tant.

—Mais, au contraire! Vous êtes aussi ma maman! Qu'aurais-je fait sans vous, durant tout ces deux mois d'absence de Nicolas? Vous faites partie intégrante de notre famille. Vous ne devez jamais oublier cela.

Avec sa réserve habituelle, Julie Racicot, les mains un peu tremblantes par l'émotion qui l'étreignait, s'empressa alors d'ouvrir le sac-cadeau.

—Excusez-moi si le papier d'emballage est un peu... froissé. Les douaniers ont dû vérifier mes bagages. Alors...

Délicatement, elle ouvrit le papier fin. Elle y aperçut alors une écharpe de soie naturelle, nouée par une magnifique broche, sertie de trois perles. Elle ne put s'empêcher de placer les mains sur sa bouche.

—Oh, monsieur Racine, je... ne... enfin... je ne sais que dire... C'est beaucoup trop!

—En Chine, la couleur blanche est synonyme de tendresse. Et votre âme en déborde, Julie.

—Je ne sais comment vous remercier, monsieur Racine...

— Il est beau, hein, maman Julie, ajouta Jérôme, en riant à belles dents.

—Et que dire de la magnifique broche! Vraiment!

—Quant à vous, madame Ramsey, je ne sais? J'ai dû égarer votre cadeau quelque part dans mes valises. Hélas, vous devrez attendre un peu. Mais, je puis vous assurer que ce n'est que partie remise. Tout à l'heure, peut-être, lui confia-t-il, en lui embrassant tendrement la main.

—Moi, là, j'en connais un qui va être content!

—Qui donc, Jérôme?

—Bien, Rémi, papa, lui répondit son fils, avant de s'engager dans l'escalier.

— Jérôme, je vais monter te rejoindre dans quelques minutes. Ce soir, c'est moi qui vais te border. Une promesse est une promesse.

Il acquiesça de bonne grâce. Une longue nuit de sommeil ne lui ferait pas de tort. Surexcité par l'arrivée de son père, il n'avait pas beaucoup eu le temps de se reposer.

Nicolas le rejoignit assez rapidement. Pendant une demi-heure, Jérôme ne cessa point de lui rapporter les activités qu'il avait accomplies durant son absence. En prime, avant de s'endormir, il avait gardé l'histoire du petit garçon au coquillage pour la fin.

—Papa, c'est une belle histoire que maman m'a racontée, hein!

—En effet, Jérôme. Je suis choyé d'avoir eu la chance d'entendre une aussi belle histoire. C'est un vrai beau cadeau que vous me faites, maman et toi.

—Oui, mais, papa, toi, là, tu m'as aussi donné un cadeau. Elles sont vraiment belles, les marionnettes chinoises. Puis, Rémi, là, il les as trouvées «*magnifiques.*» C'est ce qu'il m'a dit. Mais, le plus beau cadeau, papa, là, c'est que tu es revenu avec nous autres. On s'est ben ennuyé. Puis, on avait hâte que tu reviennes...

Pour toute réponse, Nicolas, songeur, mais, en même temps émerveillé par la spontanéité de son fils, se pencha pour l'embrasser. Tout en lui souhaitant bonne nuit, il prit grand soin de remonter sa couverture.

*

Tu vois, hein, Rémi. Mon père, là, il est très content d'être avec nous. Puis, nous aussi.

—*C'est évident, Jérôme. Quand un père rentre à la maison après s'être absenté durant une longue période, c'est toujours plaisant et fort agréable. Et, de plus, il t'a apporté un beau cadeau.*

—Oui... enfin... oui... Tu as raison, Rémi. Mais, je ne sais pas comment faire pour y demander de jouer plus souvent avec moi. C'est à cause de ses affaires. Il n'a pas beaucoup de temps pour jouer avec moi.

—Jérôme, il y a quelque temps, tu m'as demandé s'il était possible que tu aies perdu ton âme. Je t'ai répondu que ta question me déconcertait, autrement dit m'embêtait, que je devais y penser sérieusement. Ce soir, je peux te donner mon avis. Alors, écoute bien ce que ta conscience me dicte de te dire:

Rémi s'arrêta de parler. Jérôme eut l'impression que tout s'arrêtait aussi dans sa tête, comme un manège qui fait une halte imprévue. Puis, en un éclair, il entendit de nouveau la voix de Rémi.

—Je crois que tu es beaucoup trop petit encore pour comprendre ce qu'est une âme de petit garçon. Mais, je crois aussi que tout ce que tu sens tourner dans ta pensée, tout ce questionnement intérieur a commencé quand tu étais encore dans le ventre de ta mère. Tu n'as pas perdu ton âme à ce moment, Jérôme. Mais, tu aurais pu la perdre. C'est bien différent. C'est l'amour qui t'a sauvé. Mais, aujourd'hui, le fonctionnement de votre vie familiale menace de nouveau vos âmes, la tienne, celle de ta mère Élaine et de ton père Nicolas. Mais, rassure-toi... Fort heureusement, il y a de la lumière dans tes rêves et il semble bien que tu cours pour l'atteindre...

—Mais, comment je vais faire, Rémi? Tu dis que je suis trop petit pour comprendre tout cela?

—Tu es encore trop jeune pour comprendre, c'est bien vrai. Mais, rassure-toi, tes parents ont tout compris, eux. Et ils veillent. Tu saisis un peu plus, maintenant? Quand tu as entendu le vieux monsieur du parc raconter son histoire à la télé, cela a agi sur toi comme un élément déclencheur, autrement dit, une clé qui ouvre une porte. Ai-je raison?

—Oui, Rémi. Toi, là, on dirait que tu devines toutes les affaires.

—Hum... Enfin... Alors, voilà... Il y a quelques jours, tu l'as rencontré, le vieux monsieur, au Carré Viger, lors de ton pique-nique avec ton grand-père. C'est bien le cas, n'est-ce pas?

—Oui, Rémi, c'est bien le cas.

—Eh bien, le vieux monsieur s'y trouve encore. Alors, il faut que tu sois courageux et que tu ailles le rencontrer à nouveau. Lui, il te dira pourquoi il recherche toujours son chemin. Il te dira aussi qu'en ce qui te concerne, ce n'est pas la même chose, que c'est une toute autre histoire...

—Comment ça, Rémi, *une toute autre histoire?*

—Jérôme, est-ce qu'il t'est arrivé de penser que tes parents sont peut-être aussi en train de chercher aussi leur vraie raison de vivre, une partie de leur âme, en quelque sorte?

—Non, Rémi, je n'y ai pas pensé. Je suis peut-être trop petit, comme tu dis, pour penser à ça.

—Oui, évidemment. Mais, un petit garçon de ton âge, c'est pur, blanc comme une lumière éclatante. Et cette lumière, eh bien, c'est celle qui brille à l'intérieur de toi. Élaine et Nicolas vont en avoir grandement besoin, tu sais, pour retrouver leur équilibre et te retrouver, toi... leur petit Jérôme...

—Pourquoi, Rémi?

—Dans leur vie, tu occupes la place la plus importante, parce qu'ils t'aiment profondément. Voilà pourquoi tu dois les aider. Avec la lumière de ton âme, bien sûr...

—Mais, comment faire?

—Il te faut revoir le vieil homme. Ne t'en fais pas... Je serai là pour te guider. Quand tu te rendras au bureau de ta mère, demain, en sortant de l'école, nous en profiterons pour nous rendre tous les deux au Carré Viger. Nous ne pouvons plus attendre. Bientôt, le vieux monsieur n'ira plus à cet endroit, à cause du froid.

—J'ai un peu peur, Rémi! Je suis un petit garçon, moi! C'est toi qui l'as dit!

—Non, ne crains rien. Je serai là avec toi. Tu peux me faire confiance. Après tout, ne suis-je pas la voix de ta propre conscience?

—C'est quoi, Rémi, *«une propre conscience.»*

—*Une propre conscience, c'est une voix qui parle à notre âme, Jérôme. C'est une partie de sa lumière. Alors, notre conscience quand on le veut, bien, elle parfume notre âme. Est-ce que tu comprends mieux maintenant?*

—Oui, un peu mieux. Je te remercie, Rémi.

—*Dormons, à présent.*

Sans doute fatigué par toute la gamme d'émotions qu'il venait de vivre, l'enfant cessa alors de tournoyer sa mèche de cheveux. À ses côtés, impassible, ses yeux de plastique vitreux comme d'habitude, Rémi, l'ourson de peluche reposait, témoin muet, mais fidèle...

*

—La vie, c'est toi qui me l'a appris, Nicolas, c'est de savoir, jour après jour, se tenir côte à côte, avec une passion toujours égale, mais que nous devons sans cesse renouveler avec courage et noblesse. Je t'ai raconté en détail les bouleversements affectifs de notre fils. Ils ont surgi au grand jour pendant ton absence. Tout tourne autour de deux pôles: la recherche de son âme qu'il croit avoir perdue et ce fameux Rémi qui, semble t-il, répond à ses questions et lui dicte la conduite à adopter. En ce sens, la visite de ton père, encore une fois, m'a éclairée, tout en me confirmant mes appréhensions. Nicolas, si la Providence existe, elle porte le nom de Jean-Pierre Racine. Je suis tellement fière qu'il fasse partie intégrante de ma vie. C'est beaucoup mon père aussi.

La lampe de chevet éclairait leur vaste chambre, en créant une atmosphère feutrée. La nuit s'y était réfugiée, en les appelant à une réflexion intense. Nicolas s'était assis dans le fauteuil, près du lit. Adossée à ses oreillers, presque d'un trait, Élaine avait débité tout ce qui lui pesait lourd sur le cœur.

—Ouais... avait simplement répondu Nicolas. Voilà que tout s'éclaire soudainement. J'ai crû comprendre un peu ton désarroi, lors de notre dernier appel. Et, ce soir, l'ampleur du problème m'a sauté aux yeux quand Jérôme a mentionné l'existence de son ami *«Rémi.»*

—Quelquefois, je me demande si, en fait, il y a six ans, ce n'est pas toi qui avais raison...

—Ah, mais comment peux-tu penser une chose pareille! Je me sens déjà si coupable. Alors, n'en rajoute pas, s'il te plaît. T'es-tu imaginé notre vie sans la présence de Jérôme?

—Peut-être devrais-tu dire, ma vie, la mienne, Nicolas... Avoue que tu as rarement été présent dans la vie de ton fils, jusqu'à maintenant...

Avant de répondre, il observa un long silence... Puis, avec courage, il enchaîna:

—Oui, tu as amplement raison de me faire des reproches. Mais, je voudrais tant effacer tout et recommencer à neuf. Je puis t'assurer que je ne répéterais pas les mêmes erreurs et les mêmes bêtises. Mais, malheureusement, la vie, ce n'est pas une page qu'on peut déchirer indûment, en proclamant: recommençons.

En entendant ces mots, elle le regarda fixement. Il lui semblait alors que quelque chose avait définitivement changé en lui. Il refusait désormais d'utiliser l'égoïsme généré par les affaires, comme un prétexte universel qu'il pouvait, à sa guise, accommoder aux circonstances.

—Élaine, durant ces deux mois, où le monde des affaires a engouffré toutes mes énergies vitales, j'ai quand même eu cette chance unique d'entendre ta voix chaude et réconfortante, au milieu de ce tintamarre infernal. Dans la solitude de ma chambre d'hôtel, je n'ai jamais cessé de penser à Jérôme et à toi. Je me suis questionné, en long et en large, sur le sens et la direction de ma vie, mon sens des valeurs, mais aussi ma grande fébrilité et mon arrivisme...

Il s'arrêta un moment. Il sentait le besoin de prendre appui, avant de continuer. Les bras sur ses genoux et les mains croisées, il poursuivit:

—Tout est de ma faute... Ce n'est pas toi qui rentrais du travail, exténuée, le front chargé de soucis, en prétextant une quelconque réunion, pour s'excuser d'avoir encore manqué le repas du soir... Ce n'est pas toi qui ne prêtais pas attention à Jérôme, trop préoccupée à compiler ses bilans et ses victoires... Non, Élaine, ce n'est pas toi qui t'es cachée derrière ses responsabilités parentales, derrière la satisfaction apportée par de gros chèques de paie. Non... Tout cela, c'était moi! C'était moi, uniquement! Moi et mon égoïsme! Les jours où j'ai osé afficher mes soucis, je me rends compte, maintenant, que je l'ai fait uniquement pour attirer ta sympathie. Qu'est-ce que je vous ai donné en retour, à Jérôme et à toi? Quand cela est-il arrivé? Lorsque je regarde en arrière, il me semble que, parmi tous les gestes que j'ai posés, aucun d'eux n'était pas calculé. Élaine, tu comprends, il faut que tout cela cesse... Je n'en peux plus! Je suis en train de perdre Jérôme et de m'aliéner ton amour. J'ai bousculé votre vie... Je vous ai ignorés et j'oserais même dire, méprisés, en quelque sorte.

Nicolas cessa de parler. Les deux coudes sur ses genoux, il se tenait la tête entre les mains. Élaine respecta son silence un long moment avant de lui répondre:

—Je t'en prie, ne sois pas si dur envers toi-même, en t'accusant de la sorte. Tu n'es quand même pas un monstre! Tu es mon compagnon de vie. Je partage une partie de ton âme et tu vis dans la mienne. Ce qui nous arrive, ce n'est pas de tout repos, je te l'accorde. Mais, ce soir, tu m'as ouvert largement les portes de ta conscience. Là, je te reconnais! Là, je reconnais l'homme au grand cœur que j'aime avec toute la ferveur dont je suis capable. C'est ensemble que nous traverserons cette tempête. Nous prendrons nos quarts de fatigue, sans faire preuve de faiblesse ou de condescendance. Et, s'il le faut, nous respecterons nos silences réciproques. Jérôme n'attend que cela: que nous encadrions sa vie, en l'entourant de nos bras, de notre affection et de notre tendresse. Avoue que cela vaut beaucoup mieux qu'une cote boursière. Dorénavant, nous devrons cesser de le regarder sans le voir, ou l'entendre sans l'écouter. C'est notre amour qu'il désire, entier et sans compromis.

—Je... Je ne veux pas qu'il s'éloigne de moi, Élaine! Je ne veux pas le perdre! Ma vie n'aurait plus aucun sens!

En entendant ce cri du cœur, elle replia sa couverture et vint s'asseoir sur le bras du fauteuil, en le prenant par les épaules.

—Non, Nicolas... Sois-en sûr... Tant que nous vivrons, nous prendrons désormais le temps de nous occuper de lui, de son enfance et de sa jeunesse, en prolongeant nos faisceaux de tendresse et de souvenirs. La vie, c'est un peu ça, non? Viens, maintenant, viens te blottir contre moi, que je sente ton corps collé au mien... Ton absence a assez duré. Je ne sais si la Chine possède un secret magique qui ouvre les consciences. Mais, un de ces jours, j'aimerais bien y aller, moi aussi, ajouta-t-elle, en l'entraînant vers le lit.

Fatigué, mais tellement soulagé d'avoir ainsi ouvert les volets de sa vie, Nicolas souleva la couverture. Puis, en s'arrêtant un moment, il lui dit:

— Je me souviens, maintenant. Ton cadeau, il est dans le vase de porcelaine, là sur le bureau.

—Oh, tu sais, le cadeau peut attendre. Enfin, tu es là. C'est tout ce qui compte.

—Ne dis plus rien, dit-il, en la pressant contre lui, comme si un feu nouveau venait d'enflammer leurs deux tendresses.

*

—Ah, des crêpes! Merci, madame Racicot, s'empressa de dire Jérôme, avec ravissement, en prenant place à la table.

—Aujourd'hui, c'est vendredi. Papa doit venir me rejoindre au bureau. Est-ce que ça te plairait, si j'allais te prendre à la sortie de l'école, ce midi? Nous pourrions aller faire des courses ensemble? Qu'en dis-tu? Je crois bien que madame Bisaillon n'y verra aucune objection.

—Et comment donc! J'ai beaucoup de temps à reprendre avec vous deux. Alors, pourquoi ne pas commencer aujourd'hui même? Des retrouvailles, ça se fête, n'est-ce pas?

—Mais, des fois, là, papa, tu as des grosses réunions, à ton bureau...

En s'appuyant les mains sur la table, il se pencha vers lui et lui dit:

—Dorénavant, Jérôme, les *grosses réunions*, comme tu dis, bien elles devront attendre un peu.

Les yeux écarquillés de surprise en entendant son père, il jeta un regard vers sa mère. Il lui semblait ne pas comprendre tout ce qui arrivait soudainement...

—Comme je suis content, papa, je...

—Ça se voit, Jérôme. Tu as les yeux remplis de lumière. Hein, maman?

*

En compagnie de son fils qu'elle avait cueilli à sa sortie de l'école, Élaine Ramsey venait tout juste de pénétrer dans son bureau, quand la sonnerie du téléphone se fit entendre.

Avant d'appuyer sur le bouton de l'appareil, elle lui dit:

—Tu vois, Jérôme, c'est ça qu'on appelle «*le brouhaha des affaires.*» Enlève ta veste et dépose ton sac. Ce ne devrait pas être long. Allo... oui, c'est moi... Ah, comment allez-vous, monsieur Miller?

Bien assis, les jambes ballantes, Jérôme écoutait distraitement la conversation de sa mère. Il n'avait pas enlevé sa veste et portait toujours son sac sur son dos.

—Oui, c'est ça, monsieur Miller. Je vérifie ce dossier immédiatement et je vous rappelle. C'est... oui, c'est ça. À bientôt.

—Jérôme, il faut que j'aille consulter un dossier aux archives, avec madame Pontois. Est-ce que tu vas m'attendre sagement?

—Maman, je voudrais des sous pour la machine distributrice. Je veux un jus, s'il vous plaît.

—Tiens, dit-elle, en fouillant dans son sac à mains et en lui remettant une poignée de pièces de monnaie. Mais, ne t'attarde pas trop à cet endroit.

—Non, maman... Je ferai bien attention.

En sortant, elle lui adressa un sourire, en lui envoyant la main.

—Ce ne sera guère long, Jérôme.

*

Sans attendre, il se rendit à la machine distributrice pour y retirer une canette de jus de fruits, après y avoir inséré les pièces de monnaie. Au moment où il ouvrit son sac pour l'y déposer, il entendit la voix étouffée de Rémi:

—*Voilà, Jérôme! L'heure de vérité vient de sonner pour toi.*

—Attends, Rémi, je vais te sortir de mon sac...

Il s'exécuta sans tarder. Bien en place sous son bras, Rémi put alors continuer la conversation qu'il venait d'amorcer.

—*Mettons-nous en route vers le Carré. Tu connais le trajet, Jérôme, n'est-ce pas?*

—Euh, enfin, oui. Je crois que je me souviens, Rémi.

—*Bon. À la bonne heure. Ah, la vie, c'est parfois bien déroutant, Jérôme. Quand ton père a rencontré ta mère, la première fois, à l'université, cela se passa devant une machine distributrice Tu te souviens n'est-ce pas. C'est elle qui te l'a raconté. Et voilà qu'aujourd'hui, elle nous fait encore le même clin d'œil, dans les mêmes circonstances, un peu... beaucoup, comme si cela avait été programmé d'avance. C'est un peu grâce à cette machine distributrice si nous pouvons sortir de cet édifice et nous mettre en route.*

—À monsieur Miller aussi. Cela ferait une belle histoire, n'est-ce pas, Rémi?

—*Oui, c'est vrai. Mais, en ce moment, l'heure n'est pas aux histoires. Viens vite! Sortons de l'édifice! Nous n'avons guère de temps.*

*

Hardiment, d'un pas rapide de petit garçon, Jérôme se frayait un chemin à travers la cohue des piétons indifférents qui n'avaient qu'une idée en tête: rentrer vite à la maison, la semaine de travail terminée.

Quinze minutes de marche s'étaient à peine écoulées depuis son départ. La grille d'entrée du Carré Viger se trouvait maintenant devant lui. Après l'avoir franchie, il regarda immédiatement en direction du lieu où il avait rencontré le vieux clochard.

—-Regarde, Rémi, dit-il, surexcité... Il... Il est là...

—*Oui, je le vois. Avance vers lui, Jérôme. Dis-lui bonjour poliment. Tu verras, tout s'enchaînera presque magiquement. Quant à moi, mon cher petit garçon, le temps est venu de me taire définitivement. C'est à toi seul, dorénavant, qu'il appartient d'écouter ce que ta conscience te dira de faire. C'est toi qui dois parler maintenant. Moi, mon rôle s'arrête ici même.*

—Rémi, j'ai... j'ai un peu peur, tu sais...

—*Allons, allons! Ne crains rien! Ne t'ai-je pas dit que tout irait bien? Vas-y! Fonce! La vie t'appartient désormais. Tu ne vas quand même pas te dérober, alors que tu touches pratiquement au but! Il te faut faire face. Aie confiance, Jérôme! Tu es tout près de la vérité et elle te tend les bras. Adieu! Je... Je suis tellement fier d'avoir été ton ami!*

En rassemblant tout son courage, il s'avança, déterminé comme jamais à parler au vieil homme. Lorsqu'il se trouva à quelques pas devant lui, il lui dit aussitôt:

—Bonjour, monsieur Tomasz! Est-ce que... vous me reconnaissez? C'est moi, Jérôme, le...

Il ne put continuer sa phrase, car l'homme lui faisait signe d'avancer. Comme la dernière fois, il portait des gants de laine et avait relevé le large col de son vieux paletot.

—Jérôme? Attends un peu! Oui, je me souviens! Il y a une semaine, c'est toi que m'a apporté des provisions. C'est bien ça?

—Oui. Tenez! Je vous ai apporté un jus de fruits.

—Merci! Merci bien! Je me souviens. C'est bien toi qui m'as demandé comment faire pour retrouver ton âme? C'est bien cela, n'est-ce pas? Dis-moi, est-ce que tu la cherches encore?

—Euh, oui... Mais, peut-être que vous ne savez pas comment je dois faire pour la retrouver, lui répondit-il, en s'approchant de lui.

Le vieil homme fixa alors son regard bleu sur l'enfant.

—Viens t'asseoir, Jérôme. N'aie pas peur. Je ne te ferai aucun mal. Comment le pourrais-je? Une âme d'enfant comme la tienne, on ne peut pas la perdre. C'est beaucoup trop précieux, trop fragile. Moi, c'est différent. J'ai perdu la mienne par ma faute, parce que j'ai fui mes responsabilités, j'ai gâché ma vie, j'ai manqué de courage et de fermeté. Je n'ai plus de raison de vivre. D'ailleurs, tu sais déjà tout cela. C'est ce que j'ai raconté au journaliste qui est venu me rencontrer, ici même, tout près, sur ce banc, là...

Une légère quinte de toux vint l'interrompre. Au bout d'un moment, il reprit sa respiration normale et continua:

—Si je te comprends bien, mon enfant, ta vie est bouleversée, comme le fut la mienne, il y a déjà de nombreuses années... Mais, moi, je suis seul... Seul avec ma peine et ma vie dégradée par la solitude. Toi, tu as la chance d'avoir un grand-père, si je me souviens bien. Tu as sans doute aussi un papa et une maman qui t'aiment énormément. Tu n'auras donc pas de difficultés à tout remettre en ordre.

—Mais, moi, là, ce que je veux vous dire, monsieur Tomasz, c'est que mon père et ma mère, bien, je pense qu'eux aussi, ils cherchent leurs âmes. Je pense aussi que leur vie est un peu *«dégradée par la solitude»*, comme vous venez de dire. C'est une chose importante, je crois, monsieur Tomasz, *«une vie dégradée?»* Qu'est-ce que ça veut dire?

—Oh, mon cher petit! C'est... c'est une vie qui n'a plus de sens, qui ne signifie plus rien: une vie vide, sans but, sans idéal, sans espoir, je dirais...

L'homme s'arrêta un moment, comme si de lourds souvenirs venaient d'affluer soudainement en sa mémoire fatiguée.

—Non, mon petit garçon. Rassure-toi! Ni toi, ni ta mère et ton père n'avez perdu votre âme. Elle a simplement emprunté une mauvaise route. C'est ensemble, Jérôme, que vous allez pouvoir retrouver l'amour et la paix. Ils ont bien besoin de ta pureté et de ta lumière, tous les deux. Ah, je voudrais bien avoir la même chance, ajouta-t-il, en exhalant un lourd soupir.

—C'est drôle, hein, monsieur Tomasz, ce que vous venez de me dire, là, bien, mon ami Rémi, il m'a dit la même chose.

—Qui est-il, cet ami, pour te donner de pareils conseils?

Jérôme enleva alors son sac à dos et en extirpa l'ourson de peluche.

—Monsieur Tomasz, Rémi, là, bien, c'est lui. Mais, tout à l'heure, il m'a dit qu'il ne répondrait plus à mes questions, parce qu'il fallait que je trouve *«ce que ma propre vérité et ma propre conscience me diront de faire.»* Est-ce que c'est ce que vous venez de me dire, *«ma propre vérité et ma propre conscience?»*

—Ah, Jérôme, quelle belle âme, tu possèdes! J'imagine que Rémi a dû te le dire aussi, n'est-ce pas?

—Oui. Je lui pose des questions. Puis, là, là, dans ma tête et dans mon cœur, j'entends ses réponses. C'est comme magique. C'est bien dur à expliquer. Mais Rémi, là, tout à l'heure, juste au moment où j'ai entré dans le parc, il en a profité pour me dire adieu. Ça fait que...

—Sa mission est terminée, c'est bien ce que tu veux dire?

—Oui. Je pense qu'il attendait que je vienne vous voir pour s'en aller. Monsieur Tomasz, est-ce que les amis, ça s'en va toujours vite de même?

—Oui... souvent... Seules les circonstances changent, Jérôme. Soudainement, en un éclair, sa pensée exécuta un retour en arrière imprévu: *une rue... un violon cassé... des amis qui lui tournent le dos... Tous les ingrédients réunis pour une vie à finir...*

—Euh, monsieur Tomasz... Est-ce que vous allez bien? Vous ne parlez plus... Est-ce que je vous ai fait de la peine avec mes questions compliquées et déconcertantes?

Pour la première fois depuis le début de leur conversation, un sourire illumina le regard du vieil homme. Il dit alors à Jérôme:

—Non, mon enfant. Bien au contraire. Ta rencontre m'a réchauffé le cœur. Merci, Jérôme. Tes parents sont bien privilégiés que tu puisses partager leur vie. Est-ce que tu sais cela?

—Oui, monsieur Tomasz... Je les aime tellement!

—À la bonne heure, Jérôme, la voilà, la solution. Ne cherche plus. Ce qu'il vous faut, c'est de prendre le temps d'ajuster vos âmes. C'est aussi simple que cela. Il faut que tu leur fasses comprendre combien tu les aimes. Dis-moi, où sont-ils actuellement, tes parents? Est-ce qu'ils savent que tu es venu ici, tout seul avec ton copain Rémi?

—Euh... non... Je ne leur ai pas dit. Ils n'auraient pas voulu que je vienne vous voir. Mais, ils savent que je vous connais, par exemple. Rémi me l'a dit.

—Jérôme, est-ce que tu es en train de me dire que tu as fait une fugue?

—C'est quoi, une fugue, monsieur Tomasz?

—C'est quand un petit garçon comme toi ne dit pas à ses parents où il va.

—Moi, là, monsieur Tomasz, j'ai suivi ce que Rémi m'a dit: *«Vas-y! Fonce! La vie t'appartient désormais... Tu es tout près de la vérité...»*

—Viens avec moi, Jérôme. J'imagine que tu connais le numéro où je peux rejoindre ta maman. Nous allons lui téléphoner. Tout se passera bien, tu verras.

Il se leva péniblement et prit la direction du Centre d'exposition, en compagnie de l'enfant qui, tout naturellement, avait saisi sa main.

*

L'excursion d'Élaine, à la salle d'archivage des vieux dossiers de contrats d'assurances avait duré quand même plusieurs minutes. Heureusement, l'aide apportée par Isabelle Pontois lui avait grandement facilité la tâche.

—Ah, si j'avais su que cette dernière partie de la semaine se passerait dans la poussière de la salle d'archivage, j'aurais laissé Jérôme à son école. Mais, je ne pouvais gâcher le plaisir que cette proposition a suscité chez lui, dit-elle à sa secrétaire-conseillère, en feuilletant le dossier Miller.

—Oui, c'est bien de cette affaire dont il s'agit. En laissant glisser son doigt sur une large colonne de chiffres, elle se rendit compte de l'importance de ce dossier et comprit pourquoi le directeur des réclamations voulait en revoir les données. Elle ferma le tiroir de la filière. Le dossier sous le bras, elle se dirigea vers l'ascenseur, en compagnie d'Isabelle Pontois.

—À tout à l'heure, madame Ramsey, lui dit cette dernière, en pénétrant dans son bureau.

—Oui, j'ai quelques dossiers à vous remettre pour une dernière vérification.

En longeant le corridor, elle s'aperçut alors que la porte de son bureau était ouverte.

—C'est étrange! Il me semble que, normalement, Jérôme aurait dû la fermer.

En y pénétrant, un étrange pressentiment s'empara d'elle, comme un brusque mouvement de panique. Jérôme ne s'y trouvait pas. Elle déposa en vitesse le dossier sur son bureau.

—Jérôme, c'est moi! Je suis là!

Elle eût beau l'appeler à plusieurs reprises. Elle n'obtint aucune réponse. Alors, elle ouvrit précipitamment la porte de la salle de toilette. Rien. Personne.

La figure pâle, le cœur battant à un rythme incontrôlable, elle se rendit en toute hâte au bureau de sa conseillère, non sans avoir jeté un rapide coup d'œil du côté des distributrices. Toujours rien.

—Qu'est-ce qui se passe, madame Ramsey! Vous... Vous êtes toute pâle et surexcitée! Êtes-vous malade subitement?

—Isabelle, c'est épouvantable! Jérôme a disparu!

—Co... Comment? Que dites-vous? Jérôme a disparu? Mais... ce... n'est pas possible! En êtes-vous sûre, dit-elle, en plaçant ses deux mains de chaque côté de son visage.

Désemparée, ne sachant plus que faire, ni que dire, Élaine se contenta de hocher la tête, avant de se mettre à pleurer. C'en était trop.

—Ce n'est pas possible, madame Ramsey! Qu'allons-nous faire?

—Je... ne... sais pas! Ou, plutôt, il faudrait appeler Nicolas! Il est à son bureau du centre-ville!

—Je m'en occupe, lui dit-elle, en retrouvant un peu son sang froid. Rapidement, elle composa le numéro. Puis, sans attendre, elle lui tendit le récepteur.

—Allo, Nicolas? Viens vite me rejoindre! Je crois que Jérôme a disparu!

En disant cela, elle se mit à pleurer de nouveau, tout en parvenant tant bien que mal à articuler:

—Oui, je l'ai laissé seul dans mon bureau pendant quelques minutes, le temps de descendre un moment à la salle des archives. Quand je suis revenue, il avait disparu. Aucune trace de lui. Rien. Quoi? La police? Tu crois? Ah, mon Dieu, mon Dieu, s'il fallait! Viens vite me rejoindre, je t'en prie! Il faut qu'on le retrouve au plus vite. Quoi? Que dis-tu? Le gardien de sécurité, au premier étage? Oui, je vais l'appeler tout de suite! Viens vite, s'il te plaît!

*

Les yeux hagards, la figure pâle, Élaine semblait complètement démolie par ce qui leur arrivait comme un coup de massue, lorsque Nicolas pénétra dans son bureau. L'air tendu, mais en tentant d'afficher, tant bien que mal, un semblant de contrôle, il se dirigea vers elle et la prit dans ses bras.

—Tout cela est de ma faute, Nicolas. Je n'aurais jamais dû le laisser seul. C'est impardonnable!

—Élaine, écoute-moi! Ce n'est pas de ta faute! Si tu permets, tu vas cesser de penser de la sorte! Jérôme ne s'est pas volatilisé. Il doit sûrement se trouver quelque part aux alentours. Qu'est-ce que le gardien de sécurité t'a dit? Est-ce qu'il l'a vu sortir de l'immeuble?

—Non, mais il m'a affirmé qu'il arrive parfois que l'enfant d'un employé sort de l'immeuble pour se rendre au petit dépanneur du coin de la rue. Nous avons téléphoné à cet endroit, en leur donnant le signalement de Jérôme. Il n'y est pas allé.

—Bon! Je me demande bien comment une telle disparition a-t-elle pu se produire aussi rapidement, sans que personne ne s'en soit aperçu? Cela n'arrive pas en un éclair. Jérôme aurait crié, pleuré! Ah, mon Dieu, je ne sais plus!

La main sur le front et l'autre enfouie dans sa poche, comme si ce geste pouvait l'aider à réfléchir davantage, il sentit le besoin de s'asseoir. Quant à Élaine, toujours aussi effondrée, elle sursauta, lorsqu'on frappa à la porte de son bureau. Nicolas s'empressa d'aller ouvrir. Isabelle Pontois entra, suivie d'un agent de police.

—Je m'excuse, monsieur Racine, dit-elle, la gorge serrée, C'est... le sergent de police.

—Bonjour, monsieur Racine. Madame... Je suis l'agent Désilets. Vous avez appelé concernant la présumée disparition de votre fils. C'est bien le cas?

—Oui, en effet. C'est moi qui vous ai appelé. Il s'agit bien de notre fils. Mais nous n'avons que peu d'indices.

—Bon, je vois... Alors, commençons par le début. Quel âge a-t-il et quel est son prénom. Est-ce que je peux m'installer à votre bureau, madame, euh...

—Élaine Ramsey. Je suis la mère de Jérôme, lui répondit-elle, en ayant nettement l'impression qu'elle se trouvait plutôt en face d'un fonctionnaire que d'un officier d'enquête. Elle n'eût toutefois pas le temps de réfléchir plus longtemps, puisque l'agent semblait bien avoir deviné ses pensées.

—Je regrette de devoir vous poser toutes ces questions. Mais, je ne peux agir autrement. Ces données sont essentielles. Si vous voulez, madame Ramsey, j'aimerais que vous me racontiez comment cela s'est produit. N'oubliez pas le moindre détail, même s'il vous semble insignifiant.

À ce moment précis, la sonnerie du téléphone se fit entendre. À bout de nerfs, Élaine sursauta de nouveau, avant de décrocher le récepteur.

—Allo! Oui! Monsieur Stankiewicz, dites-vous? Oui! Parlez un plus fort, je vous prie. J'ai du mal à vous entendre. Au Carré Viger, dites-vous? Est-ce qu'il va bien?

D'un signe de la main, elle leur indiqua que Jérôme était localisé.

—Vous allez nous attendre à l'entrée? Oui, nous arrivons en vitesse! Merci, monsieur, heu...

—Comment n'y ai-je pas pensé avant, Nicolas, dit-elle, en se frappant le front. Jérôme est au Carré Viger. Il est allé rencontrer ce vieillard dont il ne cesse jamais de parler. Une histoire de violon et d'âme, je... ne sais plus... Vite, allons-y, dit-elle, en agrippant son manteau.

*

La Carré Viger était presque désert, au moment où, passablement inquiets et nerveux, ils s'engagèrent dans l'entrée, suivis du policier qui les avait emmenés dans son auto de patrouille. Ils n'eurent pas besoin de chercher bien longtemps. Jérôme venait vers eux en courant. Il ne leur laissa pas le temps de dire quoi que ce soit.

—Maman, papa, venez avec moi! Venez! Je veux vous présenter monsieur Tomasz! C'est lui, maman, dont je t'ai parlé, qui a cassé son violon, puis qui cherche tout le temps son âme! Viens, papa...

—Jérôme, tu... nous...

Il ne put terminer sa phrase. Résolument, en les prenant par la main, il les entraîna, en toute hâte, vers le vieil homme qui s'était tenu à l'écart, tout près d'un banc. Quant au sergent Désilets, il se contentait d'observer la scène d'un air inquiet, mais tout en se tenant prêt à intervenir, le cas échéant.

—Monsieur Tomasz, vous voyez, ce sont eux, mes parents. Ma mère, c'est Élaine, puis mon père, c'est Nicolas. Papa, maman, monsieur Tomasz, là, bien, c'est lui, mon ami, maintenant.

—Bonjour, madame, monsieur, dit l'homme, en les saluant doucement. Jérôme m'a dit grand bien de vous deux.

Surprise et touchée profondément à la fois, Élaine ne pouvait détacher son regard des yeux de ce clochard. Une grande tristesse et un profond désarroi s'y lisaient facilement.

Nicolas, lui, observait la scène, ne sachant que dire, le cœur gonflé par l'émotion, mais plus encore par le soulagement d'avoir retrouvé son fils sain et sauf. Il avait pris Jérôme dans ses bras et le serrait contre lui.

—Je... vous... enfin, monsieur Tomasz, je crois... Merci pour votre appel téléphonique. Sans vous...

—Si vous le permettez, j'aimerais vous inviter à vous asseoir avec moi, sur ce banc, un petit moment. Je ne sais si cela vous convient. Vous comprenez, mon apparence laisse à désirer, comparée à la vôtre. Mais la tenue extérieure n'a tellement pas d'importance pour moi, vous comprenez. J'ai quelque chose à vous dire, qui vous concerne tous les trois. Ce ne sera pas long. Je ne voudrais pas faire attendre monsieur l'agent inutilement. Après, je m'en irai, sans vous importuner davantage. L'essentiel, c'est ce que je vais vous confier.

—Bien, heu... Volontiers... dit alors Nicolas, en déposant son fils par terre.

Ce disant, il se mit en devoir de se frotter les mains l'une contre l'autre, comme s'il voulait les réchauffer, tout en l'aidant ainsi à pénétrer dans sa pensée profonde.

—Vous avez beaucoup de chance d'avoir un fils comme Jérôme. Oui, c'est vrai, il est devenu mon ami, depuis qu'il m'a apporté des provisions, en compagnie de son grand-père, la semaine dernière. Jérôme, comme je te l'ai dit, les plus belles amitiés demeurent toujours dans notre souvenir, aussi longtemps qu'on le désire, même si, parfois, les circonstances malheureuses de la vie nous obligent à en perdre la trace. Moi, je suis comme ton ami Rémi. Je suis extrêmement fier de t'avoir rencontré. Désormais, je ne serai plus jamais seul, puisque tu seras là, dans ma tête et mes souvenirs. Donne-moi la main, Jérôme. Moi, mes mains, c'est ce qui me reste de plus précieux, ajouta-t-il, en esquissant un pâle sourire à l'adresse de l'enfant. Quant à vous deux, monsieur, madame, je m'excuse si j'ai pu, bien involontairement, m'introduire de cette façon dans votre vie.

Il s'arrêta de parler un moment. Ses yeux fixaient intensément leurs regards. Alors, d'un seul trait, il leur confia d'une voix lente:

—Prenez grand soin de l'âme de Jérôme. C'est si facile de la perdre, vous savez! Elle est remplie de musique, de lumière et de pureté. Imaginez, une vie remplie de musique à partager. Quoi de mieux pour s'épanouir et atteindre son idéal? Pensez-y. Vous devez bien cela à Jérôme. Hein, mon enfant?

Les jambes agitées par un va-et-vient continuel, Jérôme écoutait religieusement le vieil homme, tout en observant, tour à tour, les réactions de ses parents.

—Souviens-toi, Jérôme, c'est très important: *«C'est ensemble que vous allez retrouver l'amour et la paix.»* C'est pour cela que ta lumière est si intense, comme celle de tes rêves d'ailleurs.

Abasourdis, décontenancés par les propos du vieillard, Élaine et Nicolas ne savaient que dire. La sagesse du clochard, aussi paradoxal que cela puisse paraître, venait de leur crier la vérité, en passant par l'âme de leur fils.

Au moment où le vieil homme se leva, l'agent Désilets s'approcha. Mais Élaine crut bon de lui dire:

—Tout va bien. Monsieur l'agent. Tout est arrangé. Si vous le voulez bien, nous aimerions retourner à mon bureau.

—Merci, Jérôme, merci, monsieur, madame. Ce fut un bien grand honneur pour moi de faire votre connaissance.

Sans ajouter autre chose, monsieur Tomasz Stankiewicz, jadis violoniste, mais qui affirmait avoir perdu son âme, en même temps que celle de son violon, leur tourna le dos, en empruntant l'allée centrale du parc. Déjà le jour avait baissé les paupières. Courbé, il marchait lentement, ses vieux souliers foulant les quelques rares feuilles qui dansaient une dernière farandole.

*

D'un commun accord, Élaine et Nicolas décidèrent de ne pas commenter immédiatement l'escapade de leur fils au Carré Viger. Ils préféraient attendre le moment propice. Le repas du soir se déroula comme d'habitude. Tout ce que madame Racicot avait préparé était succulent. Mais, cependant, leurs regards muets étaient éloquents sur leur état d'esprit. L'inquiétude de l'après-midi avait cédé sa place à une immense lassitude. Les propos du vieil homme les avaient profondément touchés. Leur vérité venait de leur indiquer une tout nouvelle route à suivre mais sans compromis cette fois.

*

—Jérôme, ce soir, si ça ne te dérange pas, je me sens très fatiguée. Si on prenait congé de l'histoire avant de dormir? Comprendrais-tu?

—Oui, maman, ça fait bien longtemps que je comprends, tu sais, lui répondit-il, sur un ton très sérieux. Maman, tu es fâchée contre moi, n'est-ce pas? J'aurais dû te le dire, pour le Carré Viger. Je te demande pardon.

En observant l'attitude adoptée par son fils, elle comprit que le moment était venu d'entamer une bonne conversation et mettre enfin les choses au point.

—Qu'est-ce que tu dirais, Jérôme, si on demandait à papa de venir nous rejoindre, ici, dans ta chambre? Serais-tu d'accord?

—Oui, maman. Je suis d'accord. Rémi, lui, il appellerait cela: *«L'heure de vérité qui vient de sonner.»*

Elle sortit de la chambre, profondément touchée par ce que son fils venait d'énoncer.

—Nicolas, est-ce que tu pourrais monter nous rejoindre, s'il te plaît.

—Oui, j'arrive immédiatement.

*

Bien installé au creux de ses oreillers, Jérôme regardait ses parents assis sur son lit. Ce n'était guère leur façon d'agir coutumière. Il sentit alors que l'heure était vraiment aux choses sérieuses. Comme à son habitude, dans ses moments d'intenses réflexions, il se mit à tourner une mèche de ses cheveux entre ses doigts.

—Jérôme, tu m'as demandé, il y a quelques instants, si j'étais fâchée, suite à ton... disons ton aventure au Carré Viger. Tu nous as fait une frayeur terrible. Tu sais, tout aurait été possible, avec ta disparition. On aurait pu te perdre... Comprends-tu cela? Tu viens de me dire aussi que ça fait longtemps que tu comprends. Alors, ce soir, je crois que tu es assez raisonnable pour nous promettre de ne plus recommencer ce genre d'aventures. Nous avons eu tellement peur... N'est-ce pas, Nicolas?

—Oui, Jérôme, une bien grande peur de ne plus pouvoir te revoir. De ne plus pouvoir être ensemble.

L'enfant écoutait attentivement, tournoyant toujours sa mèche de cheveux, comme s'il désirait ramasser d'un seul coup les vérités qui hantaient sa jeune âme, afin de s'en délivrer, une fois pour toutes.

—Moi, là, maman, puis toi, là papa, je vous aime gros comme le monde. Mais là, là, je voudrais vous dire des affaires. Oui, des affaires qui sont là, dans mon cœur, puis qui me font de la peine. C'est pour ça, que quand j'ai vu monsieur Tomasz à la télé, bien, je me suis dit que, peut-être, je l'avais perdu mon âme, moi aussi.

Ses yeux voyageaient rapidement de l'un à l'autre. Alors, il reprit:

—Tu te rappelles, maman, quand je t'ai montré mon dessin? Je t'ai demandé si je l'avais perdue. Là, tu m'as dit que, parce que j'étais un petit garçon intelligent, ce n'était pas possible qu'une telle chose puisse se produire. Mais, là, c'est bien drôle! Rémi, lui, il a répondu la même chose quand je lui ai posé ma question subtile. Il m'a expliqué ce que ça voulait dire, parce que ma question subtile, c'était parce que je voulais savoir si j'avais une âme, parce que je pensais que je l'avais perdue. Rémi, il n'a pas pu répondre tout de suite, parce qu'il était trop déconcerté.

Nicolas regardait son fils, complètement bouleversé par ce qu'il entendait, même si Élaine l'avait déjà mis au courant.

—Puis là, papa, quand j'ai rêvé au grand champ plein de fleurs jaunes, j'ai vu ton image. Une grande image, grande, grande, comme le mur, là. Puis, en arrière de l'image, il y avait une belle lumière blanche qui brillait. Puis, moi, là, je courais... Je courais! Mais, pour aller voir la lumière, j'aurais été obligé de passer à travers ton image. Mais, là, je n'ai pas voulu. J'avais trop peur de te faire mal!

En entendant cette confidence, Nicolas regarda Élaine. Instinctivement, il lui prit la main.

—Quand j'ai été au Carré Viger, la première fois, avec grand-papa, je lui ai demandé si, moi aussi, là, j'avais perdu mon âme. Il m'a répondu la même chose que toi, maman: *un petit garçon comme moi pouvait pas la perdre.* Après, j'en ai parlé une autre fois à Rémi. Il m'a répondu, là dans ma tête, que toute l'histoire de mon âme, elle avait commencée dans ton ventre, maman, que j'aurais pu la perdre, mais qu'à cause de l'amour, je ne l'avais pas perdue. Et puis Rémi a ajouté que les vôtres aussi étaient en danger, mais que j'étais trop petit encore pour comprendre tout cela. Et de ne plus m'inquiéter, que vous étiez là et moi aussi avec ma belle lumière. Oui, c'est ce que Rémi m'a dit.

L'enfant observa attentivement ses parents, avant de terminer ses confidences.

—C'est Rémi qui m'a guidé et qui m'a dit quoi faire pour rencontrer monsieur Tomasz, pour qu'il me dise lui aussi que je n'avais pas perdu mon âme et que je vous aiderais à retrouver la vôtre. C'est après que Rémi m'a dit qu'il avait été bien fier d'avoir été mon ami. Il m'a dit adieu et m'a dit aussi qu'il ne voulait plus coucher avec moi dans mon lit, qu'il aimait mieux le fauteuil, là, parce qu'il n'avait plus besoin de répondre à mes questions et qu'il ne me parlerait plus dans ma tête et dans mon cœur... Jamais plus...

Le petit Jérôme s'arrêta alors de parler. Puis, au bout d'un moment, dans un élan d'une infinie tendresse, il se réfugia dans les bras de ses parents, à bout de ressources, en commençant à pleurer. Au milieu de ses sanglots, il trouva quand même la force d'articuler:

—Je vous demande pardon, si je vous ai fait de la peine!

ÉPILOGUE

La maison de réhabilitation pour alcooliques et toxicomanes avait pignon sur rue à Trois-Rivières. Elle affichait sa raison sociale sans ostentation: Maison l'Abri.

Lorsque Nicolas arrêta sa voiture devant la façade, il regarda son passager avec un sourire qui se voulait le plus rassurant possible. Puis, avec une tape amicale sur l'épaule, il lui dit simplement:

—Alors, on y va, Tomasz? Comme dirait Rémi: *«L'heure de vérité vient de sonner.»* Le moment est venu de franchir ce grand pas. Souvenez-vous. Quand nous sommes allés vous rencontrer à l'Accueil Bonneau, après voir hésité longuement, vous avez promis à Jérôme de faire un énorme effort pour retrouver votre vie et votre musique. Ce n'est pas le moment de flancher. Venez, je vais prendre vos bagages. Dépêchons-nous. La température de décembre est plutôt très froide.

La voix tremblante, il lui répondit alors:

—Oh, je possède si peu de choses, vous savez, monsieur Racine.

—Tomasz, mon ami, c'est vous qui dites cela, après tout ce que vous avez appris à Jérôme? Regardez vos mains. Elles sont encore pleines de toutes sortes de musiques qui ne demandent qu'à faire entendre leurs mélodies. Allons, entrons. Vous verrez. Les formalités ne seront guère compliquées. Grand-père Racine a tout arrangé. On vous attend. Je prends votre valise. Ah, j'allais oublier. Cette grande boîte, là, c'est le cadeau de Jérôme. Il m'a bien dit de vous faire remarquer que ce petit geste de sa part signifiait la grande fierté qu'il ressent d'être votre ami.

Ses cheveux poivre et sel fraîchement coupés faisaient ressortir encore plus l'inquiétude qui se lisait dans son regard bleu. Vêtu sobrement d'un pantalon de lainage et d'une confortable veste, Tomasz Stankiewicz avait une toute autre allure. En ce froid début de décembre, ce n'était plus le clochard du Carré Viger qui se tenait debout près de la voiture de Nicolas. Non. C'était un homme d'âge mûr qui s'apprêtait à retrouver son âme, en portant ses misères avec dignité.

*

Nicolas avait raison. Tout s'était bien déroulé On lui avait assigné une petite chambre en lui donnant l'horaire de la maison.

—J'ai laissé notre numéro de téléphone et celui de grand-père Racine au bureau de la responsable de la maison, au cas où vous auriez besoin de communiquer avec nous. Bonne chance, Tomasz. Nous reviendrons vous voir, soyez-en sûr. Vous faites partie de notre famille, désormais.

—Merci, monsieur Racine... Prenez soin de Jérôme, je vous en prie.

En disant cela, il se tourna vers la fenêtre, pendant que Nicolas franchissait la porte.

*

Après son départ, la routine de la maison s'était mise en branle. Tomasz n'eût guère le temps de s'apitoyer sur son sort. Dès la fin des activités, il regagna sa chambre. Il demeura alors un bon moment assis sur son lit, sans bouger, de peur que tout s'arrête. Son sevrage commençait à lui tenailler l'esprit et le corps. Mais, au moment où il lui sembla que le besoin irrésistible de l'alcool allait prendre le dessus et annihiler sa volonté une autre fois, son regard se porta sur la longue boîte rectangulaire, recouverte de papier coloré et enrubannée. Il se leva lentement. Avec précautions, il déposa la boîte sur la table. Puis il prit place, intrigué, mais surtout ému, en pensant à son jeune ami Jérôme.

Une petite carte y était attachée, avec ces simples mots écrits en lettres détachées.

À mon ami Tomasz
Laisse ton âme jouer maintenant...

Ton ami Jérôme.

Le cœur au bord des larmes, les mains tremblantes, lentement, comme s'il voulait savourer longuement ce moment précieux, il défit le ruban et ouvrit la boîte. Quelle ne fut pas sa surprise d'y apercevoir un étui de violon tout neuf.

—*Non! Ce n'est pas possible! Ce... ne peut être...*

Il ouvrit l'étui. Un violon luisant laissait miroiter la lumière du plafonnier sur sa surface lustrée des couleurs ambrées d'un soleil couchant. Alors, avec d'infinies précautions, il le sortit de son écrin et le regarda un long moment, avant de se mettre à pleurer...

*

L'école Sainte-Catherine jouissait d'un vaste terrain de récréation, dont une partie avait été aménagée en aire de jeu de balle et de soccer. Bien installé sur l'estrade métallique, derrière la grille protectrice, avec un vif intérêt, Nicolas

Racine regardait son fils évoluer sur le terrain, tout fier dans son costume de footballeur. Bien sûr, il n'était pas encore un as. Mais son acceptation dans cette équipe lui avait fait un énorme bien. La bienveillante compréhension de madame Bisaillon, et du professeur d'éducation physique avait grandement contribué à cette transformation qui était en train de changer radicalement la vie de son fils. La température était magnifique en ce milieu de mai. La douceur des jours se faisait sentir depuis plusieurs semaines, en se donnant des airs de saisons neuves.

Songeur, Nicolas semblait plongé dans ses pensées, tout en observant les évolutions de son fils sur le terrain.

—Ah, quelle belle saison que le printemps! C'est dommage que le temps passe si vite, comme s'il était pressé de finir. On dirait presque que ses pages tournent en débandade, au gré des peines sombres, mais aussi des joies lumineuses. Maintenant, je puis dire merci, parce que nous connaissons ce rare bonheur d'apercevoir la joie qui fleurit dans le regard de notre fils Jérôme. Il est vrai que le psychologue que papa nous a conseillé a accompli de vraies merveilles. Mais la plus belle trouvaille, c'est de constater la vie qui bouillonne dans son intelligence. Je devrais plutôt dire, dans nos âmes retrouvées...

Distrait, il n'avait pas aperçu Élaine qui venait vers lui. Elle portait un tailleur de couleur marine qui mettait en valeur le médaillon qu'il lui avait ramené de Chine.

—Ah, c'est toi! Dis donc, ajouta-t-il, en consultant sa montre, tu es en avance, cet après-midi. Est-ce que tu te languissais tellement de moi à ce point, pour arborer ainsi un si beau saphir chinois?

—Tiens donc, lui répondit-elle en souriant. Je ne suis pas un patron supérieur, moi, pour pouvoir prendre des congés à ma guise. Mais, disons que les contrats peuvent attendre un peu. La partie de soccer de Jérôme me semble bien plus importantc. Et puis, la présence de mes deux hommes m'est devenue indispensable. Le saphir, eh bien, c'est pour te rappeler que je t'aime!

Il se tourna vers elle. Puis, dans un élan d'amour réciproque il l'embrassa tendrement, en lui entourant les épaules. Derrière la grille métallique, à cette heure précise, rien ne semblait plus important à leurs yeux que ce moment privilégié où ils savouraient la nouvelle sérénité qui commençait à envahir leur vie.

*

—Tu as bien joué, champion! Je suis fier de toi. Tu manies le ballon avec une habileté qui s'améliore constamment. Monsieur Hugues est un excellent entraîneur, à ce que je vois. Bravo, bravo et bravo encore!

—Tu n'as rien oublié, j'espère, Jérôme. Tu sais que demain, c'est le grand jour... Annabelle, Edgar et Antoine vont venir avec nous à Notre-Dame de la Rive. Et, en plus, Nicolas a promis d'aller à la pêche avec vous quatre, au bout du quai. Tu n'as pas oublié ta promesse, j'espère, ajouta-t-elle?

—Non, pour sûr. J'ai bien hâte de voir comment vous allez vous débrouiller pour amorcer vos lignes, dit-il, en regardant Jérôme.

—Nous allons faire comme toi, papa.

*

Tel que promis à Jérôme, ses trois amis se retrouvèrent réunis à Notre-Dame de la Rive. Toute la journée s'était déroulée rondement, faite de courses, de rondes, de galopades, de la maison au bout du quai et vice-versa.

Le soir venu, Élaine et Nicolas en étaient maintenant rendus à l'heure de l'évaluation.

—Ah, je t'assure, jamais la maison n'a vibré comme aujourd'hui, n'est-ce pas, Nicolas? Je suis pratiquement éreintée! Mais, quel bonheur que de pouvoir le dire de cette façon!

—Oui, tu as amplement raison. Tu aurais dû voir la figure d'Annabelle quand elle a attrapé son poisson! Mais, ce qui a été le plus drôle, ce fut d'apercevoir la mine étonnée des trois garçons, en l'entendant rire et courir sur le quai. Par contre, c'est dommage. Je n'ai pas eu le temps de t'aider pour la plantation des fleurs.

—Je te pardonne, tu le sais bien. Mais, je ne sais trop pourquoi, je sens que mes fleurs seront beaucoup plus belles, cette année. C'est comme une intuition. Il faut dire aussi que Tomasz m'a été d'un grand secours.

—C'est une excellente idée que papa a eue de lui offrir ces quelques jours de repos avec nous et, surtout d'avoir accepté de venir le reconduire à la Casa. Cela le changera de la routine de la maison de thérapie. Ce n'est plus le même homme. Il a retrouvé son sourire. Et une grande sérénité commence à se lire dans ses yeux. Il faudra bien qu'il s'habitue à travailler avec nous. Car, dès que la directrice de la maison de thérapie me donnera son aval, j'ai l'intention de le prendre à notre service. Bien sûr, il aura encore besoin d'un suivi thérapeutique rigoureux. Mais, nous lui devons bien cela, n'est-ce pas?

—Figure-toi que j'y avais pensé moi aussi. Ce n'est pas la place qui manque dans notre maison d'Outremont et ici, à la Casa del Mare, depuis que nous avons transformé l'atelier en pavillon.

—Il n'en revenait tout simplement pas, quand je lui ai appris qu'il séjournerait dans ce pavillon, comme tu dis.

—Je sais. Il m'en a parlé avec émotion. Cet homme est un être extrêmement sensible, Nicolas. Nous devons absolument continuer à l'aimer et l'appuyer sans réserve.

—Rassure-toi, Élaine. J'en ai bien l'intention, lui répondit-il en s'étirant les muscles. Si c'était le contraire, vous auriez bien du mal à me le pardonner, surtout mon petit garçon... Non... Cette cause me tient beaucoup à cœur, dorénavant. Et j'ai bien l'intention d'y consacrer du temps et de l'énergie. L'accueil Bonneau n'attend que cela. Mais surtout des sous de Mirage Technology, conclut-il, en riant.

*

—Maman, papa, est-ce que je peux entrer?

—Qu'est-ce qu'il y a, Jérôme? Est-ce que...

—Écoutez! Écoutez! Tomasz, là, bien, je crois qu'il commence à retrouver son âme et sa musique...

Nicolas se leva et ouvrit toute grande la fenêtre de la chambre. Ils aperçurent alors la silhouette de Tomasz, debout sur le quai. Son violon bien appuyé sous son menton, il laissait s'envoler dans l'air parfumé de mai, la musique méditative de Thaïs, avec les lumières du crépuscule comme auditoire...

FIN